Captain Liefie

Van Bill Mensema verschenen eerder bij Uitgeverij Passage:
- *Doem dada*
- *Fietsen met Bob Dylan*

Bill Mensema

Captain Liefie

roman

Uitgeverij Passage
Groningen

Voor Frits

omslag: Joppe van der Spoel, de Wilde Muis
foto auteur: Henk Veenstra
druk: Bariet, Ruinen

Uitgeverij Passage, Postbus 216, 9700 AE Groningen
www.uitgeverijpassage.nl
www.billmensema.com

ISBN 978905452 237 9 / NUR 301

I'd rather hurt
than feel nothing at all
–

Lady Antebellum

— Hou jij hem vast, dan bind ik het touw om zijn nek.

In het flakkerende lichtschijnsel van de laatste lamp die het nog doet op deze hoge brug over de Eems, kijkt Han mij ge-ergerd aan.

— Toch niet om zijn nek, gek.
— Waarom niet? vraag ik.
— Dat geeft geen pas.
— Je oom is al dood, werp ik tegen.

* * *

Hans oom Neppie is morsdood. Dood als een pier. Om het zeker te weten staken we vanmiddag omstebeurt op hem in – met de platte kant van een koffielepeltje – in een kamer van het uitvaartcentrum in Delfzijl waar hij sinds gisteren opge-baard lag. Oom Neppie gaf geen kik. Ook niet toen Han een paar maal met hetzelfde koffielepeltje op de ogen van zijn overleden oom trommelde.

— Waarom op zijn ogen? vroeg ik.
— Het zijn net trommelvliezen, zei Han.

Al het leven is eruit. Het lijf is er nog, maar de ziel is weg. Bloed stroomt niet meer en huid wordt perkament. Organen verschrompelen. Zo ook de ogen.

Ik zag het voor het eerst bij mijn moeder, toen zij jaren gele-den in hetzelfde gebouw in haar lichtgele pyjama lag opge-baard. Haar hoornvliezen waren verwijderd – het enige wat nog goed was in haar door kanker verteerde lijf – dus kon ik haar ogen sowieso niet meer zien. Die waren gesloten. Dicht-genaaid, net als die van oom Neppie. Zo zag ik mijn moeder elke dag steeds een klein beetje kleiner worden, onder haar steeds blekere huid.

Bij oom Neppie – de oom van Han – is het niet anders. Maar wat de ogen betreft blijft het een vreemd geval. Je ziet het bij baby's. Alles moet nog groeien, maar de ogen zijn vanaf de eerste dag al zo groot als ze altijd zullen zijn. Treedt de dood eenmaal in dan verdwijnen ook de ogen, worden ze klein als doperwtjes. En werkt de oogkas als een trommeltje, zeker als Han er met een koffielepeltje op slaat.

— Oom Neppie had het mooi gevonden, zei Han, vooral als je nagaat wat hij in zijn leven altijd heeft gedaan.
— Vreemd, zei ik, maar mooi.

Tante Carola stormde op dat moment de kamer van het uitvaarcentrum binnen. Han hield direct op met trommelen.

— We moeten *schnell* zijn, zei tante Carola in dat vet Duitse accent van haar, er is nu niemand op de gang.
— *Wie bitte*? vroeg ik.

Waarop Han mij een harde stomp gaf.

— Niet zo flauw doen, zei hij.
— OK, zei ik, maar nog zo'n stomp en je kunt mij definitief afvoeren van de lijst van orgaandonoren.

Gehaast schoof tante Carola de koffietrolley naast de kist waarin oom Neppie lag.

— Weet u zeker dat u hiermee door wilt gaan? vroeg Han aan zijn tante.
— Ik was nog nooit zo zeker van mijn zaak, zei ze.

Vanwege haar operatie vond ik dat een grappige uitdrukking, maar ik zweeg. Ik grinnikte niet eens.
We deden waarvoor we gekomen waren. We haalden het lichaam van oom Neppie uit de kist, legden het op de onderste

plaat van de trolley, hingen een zwart kleed om het karretje heen en gingen er als de wiedeweerga vandoor.

— Jullie vergeten iets, riep tante Carola ons na.

Waarop wij opnieuw de rouwkamer in holden, de trolley met daaronder oom Neppie ophaalden en deze naar buiten rolden, naar de Renault Espace die bij de zijingang stond. Achter in de grote spacewagon van Han lag een al eerder opgepompt luchtbed waar we oom Neppie op legden.
Met z'n drietjes sprongen we in de auto en scheurden weg, weg uit Delfzijl, langs de fabrieken van de AKZO en de AL-DEL, op naar Duitsland, om te doen wat we moesten doen.

* * *

Vier uur 's nachts. Het is verlaten in dit deel van Duitsland, in het noordwesten van het land, vlak tegen de Nederlandse grens aan. Deze brug – een langgerekte boogbrug die zowel de uiterwaarden als de rivier zelf overspant – is de hoogste die tante Carola, afkomstig uit dit gebied, weet hier in het noorden.
We zijn dicht bij Meppen, een van die katholieke stadjes aan de Eems. Het geloof zit er goed in, in deze streek. Op bijna elk kruispunt in deze omgeving staat wel een Jezusbeeld, de meeste in een soort houten bushokje, sommige in een kleine kapel van steen, met een gemetseld boogje erboven.
Van het stadje zelf kunnen we niets zien. Geen enkel lichtje in de verte. Er is hier alleen maar woud. Veel en overal.

— Het touw zit vast aan de brugleuning, roept tante Ca-rola.
— Kan ik het andere eind echt niet om zijn nek doen? vraag ik.
— Natuurlijk niet, zegt Han, dan zal zijn hoofd er immers door de val vanaf knappen. Net zoals met Sadam Hoes-

9

sein gebeurde, toen ze die een paar jaar terug in Irak opknoopten.

Het is makkelijker om het touw om zijn nek te binden – een dubbele mastworp is dan voldoende – maar ik knik gedwee. Met tegenzin kniel ik op het natte asfalt van de brug. Het touw bind ik vast om de onderbenen van oom Neppie. Eerst een drievoudige mastworp, dan een kruissjorring die ik tussen zijn benen steeds strakker aanhaal. Het is een flink karwei, maar als ik klaar ben zit oom Neppie muurvast.
Han checkt intussen voor de laatste maal de elasticiteit van het touw.

— Daar zit voldoende veerkracht in, meent hij.

Samen zetten we oom Neppie met de voeten op de brugleuning. Even duwen en de dode oom staat rechtop.

— Maar goed dat hij dood is, zegt Han.
— Hij is zo stijf als een plank, zeg ik.
— Kunnen jullie hem zo wel vasthouden? vraagt tante Carola.
— Geen probleem, zegt Han.
— Han kan het zelfs in zijn eentje, zeg ik.

Waarop ik een stap naar achteren doe. Kan ik beter niet doen. Han kan oom Neppie amper in zijn eentje houden. Het lijk – stijf als het is – begint te wankelen. Nog even en het tuimelt zo vanaf de brug de zwarte diepte in.

— Dat is toch precies wat we willen, zeg ik.
— Help me oom Neppie vast te houden, klootzak! schreeuwt Han.

Natuurlijk heeft hij gelijk. Het kan immers niet zo. Niet zomaar. Ik grijp oom Neppie opnieuw bij de benen vast.

— Is de rivier vrij? vraagt tante Carola.

Ik hoor een zachte brom, maar die hoorde ik net ook al. Dat heeft vast niets te betekenen.

— Ja, zeg ik.
— Ja, zegt Han.
— Goed, zegt tante Carola.

Dan frommelt ze in haar handtas, totdat ze haar digitale camera vindt. Ze zet hem aan en kijkt op het display.

— *Scheiße*, zegt ze, de batterijen zijn leeg.
— Er liggen nog een paar batterijen in het dashboard van mijn auto, zegt Han.

Tante Carola loopt naar de Espace maar komt dan weer terug.

— Het portier is op slot, zegt ze.
— Waarom heb je de portieren op slot gedaan? vraag ik verbaasd aan Han.
— Uit veiligheidsoverwegingen, mompelt hij.
— Maar we zijn hier maar even, zeg ik, en buiten ons drietjes is er hier niemand anders op de brug. Waarom zou je…
— Buiten ons viertjes, onderbreekt tante Carola mij.

Onbegrijpend kijk ik haar aan, maar dan besef ik dat ik oom Neppie vergeten ben. Hij mag dood zijn maar verder is hij er vannacht wel degelijk bij.

— Waar zijn je sleutels, Han?
— In mijn broekzak, zegt hij, wacht, ik pak ze even.
— Niet doen, zegt tante Carola, je moet mijn man immers vasthouden.

— O ja.
— Ik haal ze wel uit je zak.

In paniek kijkt Han mij aan. Hij zit er niet op te wachten dat zijn tante zijn broekzakken gaat doorzoeken. In elk geval niet als hij zijn broek nog aanheeft.

— Normaliter vind je het toch wel lekker als een vrouw in je broek graait, grijns ik.
— Toch niet als het mijn tante betreft, fluistert hij, bovendien…

Maar het gebeurt al. Kordaat, zakelijk, alsof het de gewoonste zaak van de wereld is, lepelt tante Carola de autosleutels uit de broekzak van Han, opent daarmee de Espace en haalt de batterijen op.

— Bewaar jij batterijen in je auto? vraag ik intussen aan Han.
— Ik niet, zegt hij, maar Annet.

Waarom zijn vrouw dat doet weet Han ook niet. Maar hij weet wel dat Annet altijd op alles voorbereid is. Daarom heeft zijn vrouw ook zo'n grote handtas. Daarom liggen er batterijen in het dashboard. Daarom ligt er zelfs een rol wc-papier in, zelfs nu hun kinderen al de deur uit zijn.

— De film loopt! roept tante Carola.

Eerst filmt ze ons op een afstand. Hoe Han en ik haar overleden man vasthouden op de leuning van de brug. Dan komt ze op ons af.

— Je gaat het nu doen, *Liebling*, zegt ze tegen oom Neppie, je gaat nu doen wat je al zo lang eens wilde doen.

Zelf zou ik het niet durven. Han hoeft me niets te zeggen, maar ik weet zeker dat hij er net zo over denkt als ik.

Het is niet alleen de hoogtevrees waar we ons niet overheen kunnen zetten, maar ook de vraag wat er gebeurt als je het diepste punt van de val bereikt. Als het goed gaat, ja, dan is er niets aan de hand. Maar wat als het misgaat? Als het touw knapt, wat in het geval van Han en mij – zware jongens als we zijn – toch echt tot de mogelijkheden behoort, hoe dik het touw ook is. Wat dan?

— Dit is een van je laatste wensen die nu in vervulling gaat, *Liebling*.
— Wat is dat toch voor een brom? vraagt Han mij fluisterend.
— Welke brom?

Tante Carola komt bij ons staan en filmt haar eigen hand die teder het bovenbeen van oom Neppie streelt.

— Dit is wat je doen moet, zegt ze, en aangezien jij het niet meer zelf kunt doen, doen wij het voor jou.

Ze stapt terug – een meter, nog een meter – van haar echtgenoot die hier op de leuning van de boogbrug over de Eems staat, zijn onderbenen zo strak mogelijk ingesnoerd.

— Je wou zo lang al eens bungeejumpen, glimlacht tante Carola, en nou gaat het dan eindelijk gebeuren. Je gaat bungeejumpen, Neppie!

Han en ik kijken elkaar aan.

— Dit is het moment zeker? vraagt Han.
— Ja, zeg ik.
— Op de tel van drie laten we hem los. OK?
— OK.

— Eén, zegt Han.

En gelijktijdig duwen we oom Neppie van de brug af. We grijpen de brugleuning, buigen ons eroverheen en zien hoe oom Neppie naar beneden suist, de diepte in. Op het brugdek maait het koord als een bezeten slang om zich heen en zwaait oom Neppie achterna.

Hij valt.

Als we het goed hebben berekend, dan bereikt hij zijn dieptepunt na tien meter. Als het elastieken koord goed werkt, dan trekt het zo strak en veert het weer omhoog. Als de knoop om zijn onderbenen maar goed blijft zitten. Als de...

TJAK!

— Tjak? reageer ik verbaasd.
— Wat was dat? vraagt Han.
— Wat nou tjak? vraagt tante Carola.

We kijken over de reling van de brug naar beneden en zien een groen en rood licht onder ons voorbij glijden. Een binnenvaartschip. Het kan niet anders. De rijnaak vaart noordwaarts. Tante Carola rent naar de andere kant van de brug en kijkt de rijnaak na.

— Herz! roept ze.
— Wat?
— Er staat Herz achterop.

Dan rent ze weer naar ons toe.

— Jullie hadden toch gecheckt of er geen schip aan kwam?
— Ik heb naar het noorden gekeken, zeg ik, want Han zou naar het zuiden kijken.

— Jij zou naar het zuiden kijken, zegt Han, aangezien ik naar het noorden zou kijken.
— Omdat jij naar het zuiden zou kijken, heb ik naar het noorden gekeken, werp ik daartegenin.
— Ik heb alleen maar naar het noorden gekeken, omdat we afgesproken hadden dat jij naar het zuiden zou kijken.
— Ben je belazerd?!
— Ben je bedonderd?!

Tante Carola gelast ons oom Neppie zo snel mogelijk weer omhoog te trekken. Dat is gemakkelijker gezegd dan gedaan met elastisch touw. Maar het lukt. We maken vorderingen. Daar zien we de voeten van oom Neppie al. Daar zien we de benen waaraan het koord is bevestigd. Daar zien we de kont van oom Neppie. Daar zien we de torso. Daar zijn de armen.

— Gelukkig, zucht Han, er is niets aan de hand.

Zodra we de benen te pakken hebben, trekken we het lichaam de brug op. Nog maar een klein stukje. Nog eventjes.

— Waar is zijn hoofd? vraag ik verbijsterd.
— Huh? zegt Han.

Tante Carola valt intussen flauw.

* * *

Er bestaat een kleine kans dat het afgesneden hoofd van oom Neppie op de rijnaak terecht is gekomen. Anders ligt het ergens in de Eems.

— Misschien drijft het, oppert Han hoopvol achter het stuur van de Espace terwijl hij extra gas geeft.
— Natuurlijk niet, reageer ik, hoe kan een hoofd nou drijven? Dat zinkt direct als een steen naar de bodem van de rivier.

— Onzin, Bill!

— Hoezo onzin? Je hebt me nota bene zelf laatst verteld over een onderzoek waaruit blijkt dat een schedel zo zwaar is als een steen.

— Hard als steen, corrigeert Han mij, volgens *de Volkskrant* hebben onderzoekers ontdekt dat een schedel maar liefst tienmaal het gewicht van een man kan dragen.

Ik moet er niet aan denken dat er tien mannen op mijn hoofd staan. En al helemaal niet als een van hen Han is.

— Dat kan niet waar zijn, zeg ik.

— Het is een serieus onderzoek waarover serieus is bericht in een serieuze krant, stelt Han.

— Ik volg het nieuws alleen nog via internet, mompel ik.

— Daar kijk jij vooral naar vanwege de plaatjes, Bill.

Dan zwijgen we. Tante Carola – die we naast Han voor in de auto hebben geplaatst – komt weer bij. Als ze beseft waar ze is en wat er net gebeurd is, draait ze zich naar achteren om, waar ik en de hoofdloze oom naast elkaar op de achterbank zitten. Opnieuw barst ze in snikken uit.

Er is iets aan haar gezicht dat me intrigeert. Ik weet dat ze ongeveer 60 jaar oud is. Misschien ietsjes jonger. Ze heeft een glooiende, haakse neus, haar ogen zijn groot en indringend, en haar zwarte haar draagt ze in een ronde slag. Wellicht heeft ze het onlangs nog geverfd. Dat doen zo veel vrouwen. De mijne ook. Aisha doet niet anders. Zeker nu ze de 40 gepasseerd is. Vrouwen als Aisha weigeren oud te worden. Dat geldt vast ook voor vrouwen als tante Carola. In wezen heeft ze een tijdloos gezicht, ergens tussen de 40 en de 60 in.

Tot gisteren heb ik nooit van haar bestaan geweten. Oom Neppie daarentegen kende ik wel. Die was muzikant. Han lulde me al de oren van het hoofd over zijn oom toen we in de jaren zestig nog op de lagere school zaten. Zijn oom was een echte indo rocker. Net zoals de Blue Diamonds en de Thielman Brothers. Dat zei me toen niets.

In de jaren zeventig specialiseerde oom Neppie zich in percussie – dat zei me toen wederom niet zoveel – en gebeurde het weleens dat hij met een van de diverse bands waarin hij speelde ook Delfzijl aandeed, waar hij – nadat zijn familie Indonesië had verlaten – zijn jeugd had doorgebracht. Hetzelfde havenstadje aan de Eemsmond waar Han en ik geboren en getogen zijn.

Driemaal ben ik in die tijd met Han mee geweest om zijn oom op het Delfzijlster poppodium van Sjangpouk te aanschouwen. Eerlijk gezegd vond ik er niet veel aan, zo'n langharige oom die op bongo's trommelde. Ik was meer fan van gitaristen. Maar de gitaristen in de bands van oom Neppie, daar vond ik ook al geen reet aan. Aan de andere kant, niet iedereen kan David Gilmour van Pink Floyd zijn.

Eind jaren zeventig ging oom Neppie in Duitsland spelen en dat is hij tot zijn pensioen vorig jaar blijven doen. Volgens de vader van Han had zijn jongere broer Neppie daar veel succes, maar dat is allemaal langs me heen gegaan. In die zin dat Han sinds het begin van de jaren tachtig amper meer iets over zijn oom aan mij vertelde. Vanaf dat moment hadden wij het sowieso uitsluitend over onze eigen besognes, zoals de bands van onze generatie, de studie die maar niet wilde vlotten en vooral de vrouwen die we nog hoopten te veroveren.

Ik kijk nog eens naar het lichaam dat naast me op de achterbank van de Espace zit. Toch vreemd dat iemand die blijkbaar ooit zoveel successen in Duitsland vierde hier nu rondgereden wordt zonder hoofd.

Ook verwondert het me dat ik geen moeite heb naar hem te kijken. Tot mijn eigen moeder overleed en ik vier dagen lang elke wake van het begin tot het einde bijwoonde – en daar zelfs troost in vond – ontweek ik altijd de aanblik van doden. Totdat mijn moeder dus stierf en ik tot mijn verrassing ineens meer in de dood zag dan het einde van een leven. Ik kwam er sterker uit dan ik ooit voor mogelijk had gehouden.

Bij mij ontstond er een zekere vastberadenheid na het verlies van mijn moeder. Eerst voelde ik het niet. Eerst was er alleen maar dat grenzeloze verdriet. Maar langzaam schoof dat als een sluier weg en groeide het besef dat het nu aan mij was om het – wat 'het' ook maar zijn mag – af te maken.

— Godallemachtig! schreeuwt Han.

Hij springt op de rem. Ik knal naar voren, maar mijn veiligheidsgordel weerhoudt me. Voor mij is het niet meer dan een schok. Maar dat geldt niet voor de hoofdloze oom Neppie die door het plotselinge remmen naar voren wordt gekatapulteerd. Tante Carola gilt het uit en Han vloekt erop los.

— Waarom heb je mijn oom niet vastgezet in de gordel? vraagt hij me streng.
— Hij is al dood, zeg ik, dan maakt het toch niets meer uit.

Wat het in deze situatie natuurlijk wel doet. Dat begrijp ik ook wel, terwijl ik oom Neppie naar achteren trek. Han veegt iets van zijn schouders af en tante Carola steekt een sigaret op om zichzelf te kalmeren. Nog een wonder dat het haar lukt. Haar handen trillen als een rietje.

— In een auto dien je elk los object vast te zetten, zegt Han op dat irritant onderwijzende toontje van hem.
— Je kan een los object voor je kanis krijgen, mompel ik.

Toch bind ik oom Neppie vast in een veiligheidsgordel. Automatisch gaat het borstdeel van de gordel langs de afgesneden nek. Nou ja, je kunt beter het zekere voor het onzekere nemen. Je weet immers nooit wanneer Han opnieuw vol op de rem gaat voor een overstekende egel.

* * *

— Hilter? Is dat echt een naam?
— Natuurlijk, zeg ik, zo staat het er immers geschreven.

Over de brug bij de sluis in de Eems staat de naam van het buurtschap alhier in enorme zwarte letters op een gele achtergrond: Hilter.

— Denk je niet dat het hier in de jaren veertig gewoon Hitler heette? vraagt Han.
— Waarom zou ik dat denken?
— Als je de L en de T omdraait, zegt Han, dan krijg je Hitler in plaats van Hilter.
— Dat snap ik, zeg ik, maar waarom zou ik dat denken?

Han haalt zijn schouders op. Ik ook. Hitler is een kwaadaardig spook uit het verleden, maar dat is lang geleden. Het heeft hier waarschijnlijk altijd al Hilter geheten. Jammer dat Hitler kwam, maar daar kan dit buurtschap ook niets aan doen.

— Wanneer komt die *verfluchte* rijnaak, briest tante Carola die over de sluiskade van Hilter ijsbeert.
— Elk moment, vermoed ik.

Het is zes uur in de ochtend. Twee uur na die fatale – nou ja, fatale – onthoofding van oom Neppie op de boogbrug bij Meppen, toen zijn bungeejump iets anders verliep dan wij in het hoofd hadden. De rijnaak – hoe heet 'ie nog maar weer? – voer in elk geval noordwaarts. De sluis van Hilter ligt zo'n 15 kilometer ten noorden van Meppen. Die boot zou allang hier moeten zijn.
Van de sluiswachter hebben we net gehoord dat de rijnaak in elk geval nog niet de sluis is gepasseerd.

— Het hoofd is er clean vanaf gesneden, zegt Han.
— Klopt, zeg ik.
— Wat zal het zijn geweest?

— IJzer natuurlijk. De een of andere plaat die uitstak.
— Waarschijnlijk.

Han is grafisch ontwerper. Ik ben ICT'er. Al jarenlang verdien ik mijn brood door achter een pc te zitten. Han ook. Het grafisch handwerk ligt voor hem ver terug in de vorige eeuw. Achter computers is het waar we tegenwoordig werken.

Met dergelijke apparaten zou je het niet verwachten, maar eigenlijk raakt onze blik op de wereld erdoor steeds beperkter. In een oogwenk kunnen we middels internet foto's van Tahiti en Vuurland op onze pc bekijken, maar van wat alledaags is – zoals de rijnaken die we vroeger geregeld door het Eemskanaal bij Delfzijl zagen varen – weten we niets meer.

— Een ijzeren plaat dus, zegt Han.
— Ja, zeg ik, zo'n ding van metaal. Flinterdun, zodat het als een mes snijdt.

We staren naar het hoofdloze lichaam van oom Neppie op de achterbank van de Espace.

Han trekt het zijportier open, waardoor de binnenverlichting aangaat, klimt naar binnen en bestudeert de afgesneden nek van dichtbij. Zelf ga ik aan de andere kant van oom Neppie zitten.

— Dat witte is het bot, stelt hij.
— Ja, zeg ik, dank je de koekoek, dat snap ik ook.
— Die zwarte punten zijn de aders.
— Slagaders?
— Die bedoel ik.

Ik knik.

— Het bloed stolt al sinds twee dagen, zegt Han, daarom ziet het er zo zwart uit.
— Is het nog niet weg? vraag ik.

— Eerst gaat het stollen. Pas later zal het verpulveren.

Han wijst met zijn vinger naar een donker gat in de nek dat met een soort gelei lijkt te zijn gevuld.

— Dat is de slokpijp, zegt hij.
— Ik had gedacht dat die dichter bij het bot zou zitten, zeg ik.
— Wat is dat?
— Gelei?
— Zou je denken?

Han raakt met de tip van zijn wijsvinger de gelei bijna aan. Ik zie hem huiveren.

— Dat durf jij niet aan te raken, zeg ik.
— O nee?

Zijn vinger glijdt er rakelings overheen, maar voor hij echt contact maakt trekt Han zijn vinger terug.

— Getverderrie!
— Mietje, lach ik hem uit.
— Doe jij het dan.
— Ben je besodemieterd!

Toch kan ik mezelf niet weerhouden een poging te wagen. Zal ik het doen? Het is wel smerig – vreemd ook – een vinger in iemands nek te steken. Maar ja, oom Neppie is al dood. Zo erg zal hij het niet vinden. En ik heb sowieso het vermoeden dat de gelei – net als het bloed – al totaal opgedroogd is. Dat het niet meer dan een vliesje is, zoals een korstje boven een huidwond. Dat het zo openbarst. als je het aanraakt Met een plop. Net zoals bubbelplastic in de enveloppen van op internet bestelde cd's. Daar kan ik geregeld een halfuur mee zoet zijn, al die bubbeltjes kapot drukken.

— Zou je denken? vraagt Han.
— Ik weet het wel zeker, zeg ik.

Ik bedenk mij niet langer en steek mijn vinger in de afgesneden slokpijp van de oom van Han. Maar ik hoor geen plop. Als ik me realiseer wat ik wel voel, kijk ik Han met gefronste wenkbrauwen aan.

— Dat is bizar, zeg ik.
— Wat? Wat is bizar?
— Moet je eens voelen.

Even kijkt Han me aan. Zal hij het wel doen? Maar zijn nieuwsgierigheid wint het van zijn walging. Net als ik steekt ook hij zijn vinger in de slokpijp van oom Neppie.

— Getverderrie! roept hij uit, wat een smurrie!
— Dat bedoel ik.

Ik probeer mijn vinger uit de slokpijp weg te trekken, maar het lukt niet. Die zit vast. Komt natuurlijk door die dikke worstvinger van Han naast de mijne.

— Trek jij nou eerst je vinger terug, zeg ik tegen Han.
— Dat lukt niet, klootzak, zegt hij, die zit muurvast vanwege jouw dikke worstvinger.
— Jij hebt zelf een dikke worstvinger!
— Jij bent een dikke worstvinger!

Op dat moment beseffen we dat tante Carola ons van buiten aankijkt, door het zijraam aan de andere kant van de Espace. Het moet een verschrikkelijk gezicht voor haar zijn om ons zo te zien. Twee van die volwassen kerels, elk met een wijsvinger in het strottenhoofd van wat ooit haar man was. Onthutst staart ze ons aan, waarop wij beschaamd snel onze vingers uit de nek van oom Neppie proberen te trekken, uit de derrie van zijn slokpijp. Nog even zitten onze vingers klemvast, maar dan lukt het ons. Ze komen er gelijktijdig uit.

En ook horen we nu een diepe plop.

* * *

— Daar is de rijnaak! roep ik uit.

In het roze ochtendgloren verschijnt in het zuiden in de bocht van de rivier het zware schip.

— Weet je het zeker? vraagt tante Carola.
— Er staat 'Herz' op de voorplecht.

Han grist de verrekijker uit mijn handen, werpt een nauwkeurige blik zuidwaarts en bevestigt wat ik net al zei.

— Gelukkig, zegt tante Carola.

Wanneer de rijnaak met de naam Herz de sluis van Hilter binnenvaart, zwaaien we enthousiast naar de stuurcabine achter op het dek. Of er teruggewuifd wordt, kunnen we niet zien.
Op de voorplecht van het schip staat een dunne vent met kort gekapt zwart haar en twee wenkbrauwen die boven zijn neus aan elkaar gegroeid zijn. Een heuse *unibrow*. Anders dan je van mannen op zo'n schip zou mogen verwachten, ziet hij er verzorgd uit. Maar hij hoort er wel degelijk thuis, gezien het gemak waarmee hij een tros om de bolder op de sluiskade legt.
Terwijl de achterste sluisdeuren sluiten, springt tante Carola aan de voorkant aan boord en kijkt verwoed om zich heen.

— Hebt u het hoofd van mijn man gezien? vraagt ze aan de man met de unibrow.

— *Wie bitte*? reageert hij.
— Het hoofd van mijn man. Ik ben het hoofd van mijn man kwijt.
— En dat ligt bij ons op het schip?
— Laten we het hopen.

De man met de unibrow kijkt beducht om zich heen. Ligt er werkelijk een afgesneden hoofd van een mens ergens op het schip?

— Mogen wij ook even kijken? vraagt Han.
— Jazeker, nodigt de man ons aan boord, maar denk maar niet dat ik jullie ga meehelpen daarnaar te zoeken.
— Begrijpelijk, zeg ik.

Helaas kunnen we het hoofd van oom Neppie nergens vinden. Terwijl Han en ik nogmaals rondom de stuurhut van de Herz kijken, inspecteert tante Carola de linkergangboord naast de ladingruimte. Niets te vinden. Wij lopen via de rechtergangboord naar voren, waar de man met de unibrow een shagje rolt, nerveus om zich heen kijkend.

— Fuck, zeg ik, niets te vinden.
— Fuck, zegt Han.

Ook tante Carola heeft nog steeds het hoofd van haar man niet gevonden.

— Zoekt u dit misschien? klinkt ineens een barse stem achter ons.

Het is de kapitein – werkelijk een grizzly van een kerel – die uit het laatste compartiment van de laadruimte naar buiten klimt, terwijl hij het hoofd van oom Neppie met de dichtgenaaide ogen in zijn linkerhand vasthoudt.
Zijn scheepsmaat slaakt een gil van afgrijzen en valt flauw.

Han en ik weten hem net op tijd op te vangen, voordat hij in het inmiddels kolkende water van de sluis valt.

— Ja! juicht tante Carola, dat is het! Dat is het hoofd van mijn man.
— Wat een ongelooflijke mazzel dat het op deze rijnaak is gevallen en niet in het water van de Eems, zeg ik.
— Het is anders niet zwaar, dat hoofd, zegt de kapitein.

Even trekt hij zijn linkerarm omhoog en laat het hoofd van oom Neppie los, maar direct grijpt hij het weer bij de haren vast.

— Het zou mij niet verbazen als het op de rivier was blijven drijven, zegt de kapitein.
— Precies wat ik eerder ook al zei, roept Han.

* * *

De kapitein heeft de Herz aangemeerd aan de oostelijke oever direct buiten de sluis van Hilter. Met z'n allen zitten we om de tafel in de stuurcabine achter op de rijnaak. Behalve de scheepsmaat dan, die het vertikt met een lijk in dezelfde ruimte te verkeren.

— Schippersbijgeloof, meent de kapitein.
— Daar hebt u geen last van?
— Ik heb last van andere zaken.

Terwijl de kapitein koffie voor ons inschenkt, plukt tante Carola allerlei onregelmatigheden uit het gezicht van oom Neppie, plamuurt ze wat kneuzingen dicht met make-up en kamt ze zijn haar. Wonderlijk hoe ze zichzelf zo snel weer weet te vermannen.

— Hoe lossen we dit probleem op?

Wijzend op het hoofd van oom Neppie dat ze nu naast de koffiemelk op tafel zet, vraagt ze het niet eens aan ons maar rechtstreeks aan de kapitein.

— Het lichaam van wijlen uw man bevindt zich dus in de auto, zegt de kapitein.
— Ja, zegt tante Carola.
— Achter in de Espace, zegt Han.
— Welnu, zegt de kapitein, wat we dan kunnen doen, is…

Plotseling gaat de iPhone van tante Carola af. In de ringtone van de hippe mobiele telefoon herken ik de melodie van een liedje dat ik weleens gehoord heb. Een Duits liedje. Iets met *'Alles klar auf der Andrea Doria'*.
Tante Carola beantwoordt de oproep, hoort iets aan en trekt dan lijkbleek weg. Er wordt nog meer tegen haar gezegd aan de andere kant van de verbinding. Ze wordt witter en witter. Intussen gesticuleert ze wild met haar beide handen, wat vreemd is aangezien ze de iPhone de hele tijd vasthoudt.

— Ik kan echt niet, Udo.

Wat die Udo daarop te zeggen heeft weten we niet, maar tante Carola verliest nu haar zelfbeheersing.

— Ik heb net mijn man verloren! schreeuwt ze het uit in de iPhone.

Dan is ze stil – erg lang – en begint ze te huilen.

— Dat weet ik wel, snikt ze.

Weer is het stil.

— De crematie in Delfzijl is pas over drie dagen, snottert ze.

Uit de mouw van haar mantelpakje haalt ze een zakdoek en veegt daarmee haar ogen droog.

— Natuurlijk kom jij naar de crematie, Udo, zegt tante Carola, jij bent mijn beste vriend.
— Die Udo is haar beste vriend, fluistert Han tegen mij.
— Je bent altijd goed voor mij geweest, zegt tante Carola in de iPhone.
— Die Udo is altijd goed voor haar geweest, fluister ik tegen Han.
— En dat je mij zo geweldig gesteund hebt bij mijn operatie, nee, dat zal ik nooit vergeten, snift tante Carola.

Han en ik kijken elkaar aan. De operatie... Zelf moeten we er absoluut niet aan denken. Het idee alleen al. Ik voel het sidderen in mijn lendenen. Han ook, maar dan in de zijne.
Sinds we tante Carola kennen – onderhand al twee dagen – doen we ons uiterste best het allemaal zo normaal mogelijk te vinden. Het moet natuurlijk kunnen – dat zijn we allebei oprecht van mening – maar het wordt ietsjes anders zodra je iemand die zoiets ondergaan heeft in werkelijkheid meemaakt. Dan blijkt er – als zo vaak – toch een verschil te bestaan tussen praktijk en theorie.

— We kunnen inmiddels de eerste wens van het lijstje van Neppie afstrepen, zegt tante Carola in de iPhone, ja, die hebben we al gedaan. Nou ja, maar hij heeft tijdens het bungeejumpen dus wel zijn hoofd verloren. Nee, letterlijk. Hij heeft letterlijk zijn hoofd verloren.

Blijkbaar is die Udo aan de andere kant van de lijn geschrokken.

— Nee, nee, geen paniek, zegt tante Carola in de iPhone, we hebben het hoofd van Neppie net weer teruggevonden.

De kapitein van de rijnaak kijkt het hoofd van oom Neppie op de koffietafel recht in het gezicht aan.

— Dus jij heet Neppie, zegt de kapitein tegen het hoofd, aangenaam! Ik heet Liefie. Captain Liefie.

Het is een forse, stevige kerel, de kapitein. Niet zoals Han of ik – want wij zijn dat eveneens – maar de kapitein is ook nog eens flink gespierd, heeft bolders van armen en enorme schouders, alsook een gigantische borstkast waarop in het midden een gouden hartje aan een kettinkje prijkt.

— Han!

Tante Carola wenkt Han naar zich toe. Even beraadslagen ze, ook al is tante Carola de hele tijd aan het woord en knikt Han alleen maar met zijn hoofd.

Dit kan niet goed zijn. Mannen als wij zijn zulke sukkels als het op vrouwelijk schoon aankomt. Ik weet hoe het gaat. Ik ken het klappen van de zweep. Ooit was ik een wild beest, maar dat is lang geleden. En allemaal van vóór Aisha. Mijn vrouw en ik zijn inmiddels alweer 20 jaar samen en in die tijd heeft ze me getemd en afgericht, zodat ik denk dat ik doe wat ik wil doen, maar uiteindelijk steeds weer precies datgene doe wat zij wil dat ik doe.

Eerlijk gezegd heb ik daar geen enkel probleem mee. Verre van dat. Ik ben Aisha er juist dankbaar voor. Uiteindelijk zal elke man er toch aan moeten geloven, wil hij niet eenzaam en alleen eindigen in een slecht verlicht kabouterhuisje.

Han knikt. Tante Carola praat en Han knikt opnieuw. En elke knik betekent extra werk voor ons. Het was al een fikse klus toen wij de opdracht gisteren aannamen – omdat we het geschrei van tante Carola niet langer konden verdragen, omdat we haar wilden troosten, omdat we mannen zijn, van die stomme eikels die alle ellende van de wereld menen te moeten vertalen in behapbare problemen, die we dan weer kunnen oplossen – maar nu wordt die blijkbaar nog groter.

— Het is goed, Udo, zegt tante Carola nu weer in de iPhone, over vier uur ben ik in Hamburg. De neef van Neppie en zijn vriend maken het karwei af.

Ik wist het wel! Ik wist het verdomme wel! Wij kunnen nu alles doen! Han en ik. Met z'n tweetjes. Godsamme nog aan toe!

— Ja, zegt tante Carola in de iPhone, vanavond doe ik mee in de show en de volgende twee avonden ook. Zolang ik vrijdag maar op tijd in Nederland terug ben voor de crematie.

Dan is ze even stil.

— Natuurlijk kom jij mee naar de plechtigheid, glimlacht ze, dat weet ik toch. Je bent een schat. *Ich liebe dich.*

Ze verbreekt de verbinding en kijkt ons beurtelings aan. Han die naast haar zit, ik die aan mijn koffie lurk, de immense kapitein en het hoofd van oom Neppie dat pontificaal midden op de tafel staat.

— Het is de show, zegt tante Carola.
— Wat is er met de show? vraagt Captain Liefie.
— Zoals Udo altijd zegt: *The show must go on.*

* * *

— Ductape, stelt Captain Liefie voor.
— Ductape? vraagt Han.
— We kunnen Ductape gebruiken, zegt de kapitein.
— Wat is Ductape?

— Plakband voor de professionals, zeg ik.

Geamuseerd kijkt de kapitein mij aan.

— Dat zo iemand als jij weet wat Ductape is.

Ik trek mijn buik in en laat mijn borst opzwellen.

— Ik zat vroeger in een rockband, zeg ik, vooral bij live op-
tredens gebruikten we Ductape per strekkende meter.
— Aan boord gebruiken we het om kieren in het laaddek af
te dichten, zegt de kapitein, maar ook in de machinekamer om lekke koppakkingen van de cilinders te vervangen of afvoerbuizen van de radiator te repareren. Man,
we gebruiken het zelfs om gaten in de romp van de Herz
mee te hechten.

Dat zijn pas echte problemen. Ongemakkelijk schuif ik met
mijn voeten onder tafel. In de band gebruikten wij vroeger
namelijk Ductape – vijf centimeter breed plakband, met een
dikke zwarte rubberen laag aan de bovenkant – vooral om
lange zwarte gordijnen achter het podium mee op te hangen,
om de setlist aan de microfoonstandaard mee vast te plakken,
om de batterijenhouder van het effectenpedaal van Koos – de
gitarist en onbetwiste bandleider – mee vast te zetten of om er
een kruisje mee op het podium te zetten als markering voor
mij als zanger om op de juiste plek op het juiste moment in de
finale in het spotlicht gevangen te worden.

— Waarvoor gebruikten jullie Ductape? vraagt de kapitein.
— Ja, zegt Han, waarvoor gebruikten jullie eigenlijk Ductape?

Verbouwereerd kijk ik de anderen aan. Vooral Han die ge-
meen glimlacht. Bijna een minuut lang hou ik mijn zwijgen
vol.

— Per strekkende meter, zeg ik dan, werkelijk, per strekkende meter.

De kapitein knikt, kijkt om zich heen en wrijft zich over het
kale hoofd.

— Ik vraag me af waar die verdomde Ductape is.

* * *

Op de kade van het buitendok van de sluis van Hilter staat
tante Carola wederom te huilen. Ze is net uit de Espace gestapt waarmee Han haar naar het treinstationnetje verderop
heeft gereden. Zelf ben ik hier gebleven. Vooral omdat ik
benieuwd ben hoe de kapitein het hoofd met Ductape denkt
te kunnen vastzetten op het al eerder aan boord gebrachte lijf
van oom Neppie.
De kapitein heeft de tape trouwens nog steeds niet gevonden,
ook al heeft hij onderhand de halve boot overhoop gehaald.

— Wat is er aan de hand? vraag ik bezorgd.
— Het duurt nog tot ver in de middag voordat er weer een
  trein vanaf het station naar het noorden vertrekt, antwoordt Han, en daarmee naar Hamburg.

Blijkbaar heeft er zich vannacht een ongeval op het spoor
voorgedaan, dat in het uitgestrekte woud langs de rivier naar
het noorden loopt. Iets met een volgeladen autotrein vanuit
het Ruhrgebied naar de zeehaven van Emden. Ergens in dat
donkere bos liggen nu drie fonkelnieuwe Volkswagens op de
rails. De hele dienstregeling tot en met de 50 kilometer noor-
delijker gelegen stad Leer is daardoor vandaag ontregeld.

— Gevonden!

We draaien ons om en zien de kapitein op het dek staan, met in zijn hand een rol Ductape.

— Het lag achter de valve kleppen, lacht de kapitein, stom hè? Dat ik het er toen na gebruik niet vóór heb gelegd maar juist erachter. Hoe stom kan een man wel niet zijn?
— Ja, lach ik.
— Dat heb ik ook zo vaak, lacht Han.

De kapitein springt aan wal en loopt naar ons toe.

— Weet jij wat een valve klep is? vraag ik aan Han.
— Geen idee, zegt hij.

Hoe ellendig tante Carola zich ook voelt, ze wil hoe dan ook nu weg, want ze wordt om 12 uur in Hamburg verwacht voor de noodzakelijke repetities met de band van Udo. Zelfs nu kan en wil ze daar niet langer onderuit.

— Het leven is voor de levenden, knikt de kapitein.
— Wie de fuck is die Udo? vraag ik zachtjes aan Han.
— Weet ik veel, fluistert hij terug.
— Hij heeft me nodig, droogt tante Carola haar tranen.

We zwijgen een moment.

— Maar wat doen we dan met het wenslijstje van oom Neppie? wil Han weten.

Tante Carola kijkt naar het hoofd en het lijf van haar echtgenoot – die los van elkaar op de bank achter in de stuurcabine van de Herz liggen – en barst opnieuw in een hartverscheurende huilbui uit.
Ik begrijp het heus wel. Ik begrijp het verdriet van de tante aan alle kanten. Ik begrijp zelfs dat het nog erger is gezien

de huidige uitzonderlijke situatie. Maar godallemachtig, ik word wel kregelig van het gejank.

Ook de kapitein blijkt er gevoelig voor. Snel vraagt hij ons naar de betekenis van het wenslijstje van oom Neppie, waarop Han het hem uitlegt. De kapitein knikt instemmend alsof hij deze onzin begrijpt.

— Er zijn dus nog twee wensen te gaan?
— Ja, zegt Han.
— Die en die?

De kapitein wijst ze aan op het lijstje en opnieuw knikt Han. Waarop de kapitein zich over het kale hoofd wrijft, in de stuurcabine twee berekeningen maakt in de witte marge van de getijdenkaart op de tafel en een telefoontje pleegt naar ene Frits. Het is heel kort. Iets over komende nacht en iets over een broer.

Vervolgens legt de kapitein zijn kolossale arm over de niet echt smalle schouders van tante Carola.

— Geen paniek, zegt hij geruststellend, ik neem uw man en uw twee neven mee op de Herz. Met mijn vracht kom ik langs de juiste plekken om de laatste wensen van uw man in vervulling te laten gaan. Vrijdagochtend zet ik ze dan alle drie af in de haven van Lauwersoog. Als u ze daar weer oppikt, dan bent u op tijd terug voor de crematie.
— Wat zegt u? stamelt tante Carola.
— Ik zeg vooral: geen paniek.

Er breekt nu voor het eerst sinds ik haar ken een glimlach door op het gezicht van tante Carola. Er lijkt een last van haar schouders te zijn afgevallen. Alsof ze eindelijk de juiste man voor deze idiote opdracht gevonden heeft. Ik haal mijn schouders op. Gezien de afloop van de eerste wens van oom Neppie – het bungeejumpen – kan ik me goed voorstellen dat ze niet bijster veel vertrouwen meer heeft in Han en mij.

Tante Carola kijkt nog eenmaal naar haar man, slaat de hand voor de mond, vermant zich en stapt in de Espace. Dan stuift ze weg, naar de tien kilometer verderop gelegen *Autobahn*, op weg naar Hamburg.

— Wees alstublieft voorzichtig met mijn auto! roept Han haar nog na.

In een stofwolk verdwijnt ze, weg van de rivier, weg van de sluis, weg van het buurtschap Hilter, weg van dit zachte plekje in het ook in de herfst zo vriendelijk ogende rivierdal van de Eems.

* * *

De kapitein plaatst het hoofd van oom Neppie op diens lichaam, draait driemaal Ductape rondom de nek en trekt het dan door tot onder de beide oksels. Zo zit het hoofd weer stevig vast.

— Kijk, zegt de kapitein, niet los te krijgen.

Hij rukt aan het hoofd van oom Neppie en inderdaad, het lijkt muurvast te zitten.

— Dat is nou Ductape, lacht de kapitein.
— Plakband voor de professional, zegt Han.
— Zo is het.

We zetten oom Neppie neer op de bank achter in de stuurhut van de rijnaak. Het is niet echt een gezellige plek. Zo is het ook niet bedoeld. Dit is een plek om te werken. Achter het glinsterende metalen stuurwiel staat een brede stoel, op een poot aan de vloer bevestigd, zo hoog als een barkruk. In de hoek is een keukenblok, met een kraantje en een gootsteen.

Erop staat een koffiezetapparaat. Ernaast staat een kratje sinaasappels, waarop een stapel fotokopieën ligt van een of andere sexy blondine. Daarnaast staat een donkerblauwe jerrycan. Best groot. Ik schat dat er zeker 50 liter brandstof in gaat.

Op de tafel in het midden ligt tussen vaag afgedrukte computeruitdraaien en een stapel Duitse vrouwenmagazines een met talloze koffievlekken besmeurde rivierkaart van de Eems.

— Dat is de getijdenkaart, zegt de kapitein, voor als we overmorgen in open zee uitkomen.

Han en ik knikken alsof we het allemaal snappen. De kapitein grinnikt om ons en wrijft zich nogmaals over het kale hoofd. Er is iets unheimisch aan zijn gezicht, maar misschien is het gewoon zijn kale kop. De kapitein is volstrekt kaal. Niet kalend zoals ik – met nog wat haar aan de zijkant – maar compleet kaalgeschoren.

Het is iets dat ik al jaren om me heen zie. Verschijnt er ineens een kale plek op de kruin, dan scheren jongemannen zich tegenwoordig liever volledig kaal dan als hun vader – of een monnik – door het leven te gaan. Ik kan me het goed voorstellen. Zo'n steeds verder uitdijende kale plek op je kop is niet echt iets om trots op te zijn. Aan de andere kant begrijp ik van diverse kanten dat je het hoofd minimaal eens per week moet gladscheren. Mij is dat te veel gedoe.

Toch heeft het iets stoers, net als tatoeages. In een tijd dat we allemaal steeds meer het werk doen van watjes – zelfs een automonteur hoort niet meer, zoals voorheen, aan het reutelende geluid van een auto wat er mis is in de motor, maar moet de wagen eerst uitgebreid aan de computer leggen om het euvel te kunnen duiden – zien we er stoerder uit dan ooit. Met die kale koppen en tatoeages zien we eruit alsof we net hele volksstammen hebben uitgemoord. We zien er zo ontzettend stoer uit dat zelfs Atilla de Hun uit pure angst direct zijn zwaard zou neerleggen om dan maar te gaan kantklossen op de toendra.

Natuurlijk zijn het niet alleen mannen die zich tegenwoordig trots met tatoeages sieren, ook vrouwen zijn er gevoelig voor. Maar die scheren hun hoofd slechts zelden kaal. Dat blijft echt een mannending. De laatste jaren ook voor mannen van mijn leeftijd, zoals de kapitein.

— Dat ga jij dus nooit doen, zegt Aisha altijd tegen mij.

Niet dat ik het van plan was, maar het is fijn dat ik het sowieso niet mag van mijn vrouw.

— Dan zie je er van achteren uit als een worst, zegt ze.
— Als een rookworst?
— Meer als een hansworst.

Daarmee is het voor mij definitief bekeken. Als ik ooit volledig kaal word, dan hooguit op de natuurlijke manier. Mijn schedel gladscheren zal ik nooit doen. Niet zoals de kapitein.

* * *

Han zit buiten op het laaddek van de Herz. Net heeft hij beneden een tukje gedaan op het kajuitbed dat wij de komende nachten zullen delen. Het is oorspronkelijk het bed geweest van de twee kinderen van de kapitein.

Van hen hangen er foto's direct bij het stuurwiel aan de wand. Een jongen en een meisje. De jongen heeft een blond pagekapsel en grote, argwanende ogen. Het meisje heeft zwart haar, een wipneus en talloze sproeten. Ik schat ze allebei niet ouder dan tien jaar.

— Deze foto's zijn 20 jaar oud, zegt de kapitein, dus zijn mijn beide kinderen inmiddels al bijna 30.

— Heeft u geen recentere foto's? vraag ik.
— Zolang heb ik ze niet meer gezien, zucht de kapitein.
— Waarom niet?
— Dat kreng heeft ze meegenomen naar het zuiden van Duitsland, maar ik heb geen idee waar ze zitten.
— Welk kreng?

De kapitein wijst naar de fotokopieën van de sexy blondine op het kratje sinaasappels naast het kleine aanrecht.

— Is zij een kreng?
— Zij is in elk geval hun moeder.

Samen met zijn scheepsmaat Hubert heeft de kapitein al diverse malen op *Facebuch* en *MeinSpace* gezocht naar zijn kinderen, onder zijn eigen achternaam – 'Nee, dat is niet Liefie' – alsook onder de achternaam van zijn vrouw. Tevergeefs.

— Zij is vast opnieuw getrouwd en heeft de kinderen de achternaam van haar nieuwe echtgenoot gegeven.

Zelf heb ik geen kinderen. Geen idee of dat allemaal zomaar kan. Maar het lijkt mij een hard gelag voor de kapitein.

— Uitsluitend op hun voornaam zoeken lukt niet? vraag ik.
— Ze heten Hans en Maria, zegt de kapitein, daar zijn er alleen al in het zuiden van Duitsland honderdduizenden van.
— Als u uw kinderen destijds eh... Bliksem Over Patagonia en eh... Bolkensteiner Wals Met Een Dopje had genoemd, zeg ik, dan had u nu meer kans gehad ze terug te vinden.

Onbegrijpend staart de monstrueuze kerel me aan, waarop ik snel weer mijn mond houd.

* * *

Captain Liefie zet oom Neppie een zonnebril op.

— Hij mag dan wel dood zijn, stelt de kapitein, maar dat wil niet zeggen dat hij er ook zo uit moet zien.

Wat zo'n zonnebril al niet vermag. Zo ziet oom Neppie er inderdaad stukken minder onrustbarend uit, met z'n zonnebril en zijn dikke kraag van Ductape. Niet langer dood, maar meer als de stille oom op een verjaardagsfeestje, die rustig in een hoekje zijn biertje drinkt, een blokje kaas eet en iets te lang op een Amsterdams uitje sabbelt. Niet de oom die moppen vertelt of er juist hartelijk om lacht, maar de oom die het allemaal stilletjes aanhoort en zachtjes knikt van 'Ja, dat is een goeie'.

— Dus je oom heeft vroeger veel opgetreden hier in Duitsland?
— Ja, zegt Han tegen de kapitein die achter het stuurwiel staat, maar ik weet niet in welke bands allemaal. Sinds 1975 heb ik hem amper meer gezien.
— Hij komt me niet echt bekend voor, zegt de kapitein, en dat terwijl ik in mijn jeugd ontzettend veel bands in Duitsland gezien heb.
— Wij ook, zegt Han.
— Maar dan in Nederland, zeg ik.

De kapitein knikt.

— Ik mocht zo graag naar concerten gaan, mompelt de kapitein achter het glinsterende stuurwiel, zo heb ik dat kreng ook leren kennen.

— Welk kreng? vraagt Han verbaasd.

Ik wijs hem op de stapel fotokopieën boven op het kratje met sinaasappels naast het aanrecht. Han bestudeert de zwart-witfoto van de blondine.

— Is zij een kreng? vraagt hij.
— Zij is de moeder van de kinderen van de kapitein, zeg ik.

De kapitein staart voor zich uit over het lome donkere water van de rivier, dat tussen de bebossing langs de oevers door zeewaarts stroomt. Het is net alsof hij het landschap voor zich tot in zijn ziel opzuigt. Er lijkt hem niets te ontgaan. Een klein strominkje op het water, een polletje gras langs de waterkant, bomen die steeds meer blad verliezen, metershoge maïsstronken in een enkel akkerlandje in het woud die pas op het allerlaatste moment zullen worden gekapt voor de oogst – iets met suiker dat door de hele plant moet lopen – en steeds weer de neus van de Herz die trefzeker door het water noordwaarts boort.

Het komt mij zo voor dat de kapitein in zijn element is, zoals iedereen die doet – die precies datgene doet – waarvoor hij of zij bedoeld is.

Maar hij vergeet niet waar we het over hebben.

— Vanzelfsprekend werd het concertbezoek minder toen ik eenmaal mijn eigen schip had, zegt de kapitein.
— Was dat dit schip al? vraag ik.
— Ja, maar toen heette het nog niet Herz, zegt de kapitein.
— Hoe heette uw schip dan? vraagt Han.
— Serpent.
— Serpent?
— Nou ja, ik had haar destijds vernoemd naar mijn vrouw.
— Heet die Serpent? vraagt Han.

De kapitein kijkt hem onbegrijpend aan.

— Natuurlijk niet, zegt hij.
— Maar…
— Zodra het weer mogelijk was, gaat de kapitein verder, en er een leuke band optrad in een van de plaatsen waar we aanmeerden, dan paste mijn scheepsmaat op de kinderen en gingen sloerie en ik naar zo'n concert.
— Wie is sloerie nou weer? vraagt Han zachtjes aan mij.
— Vermoedelijk dezelfde als kreng en serpent, antwoord ik.

Captain Liefie draait zich om en bestudeert oom Neppie nog eens, die achter ons op de bank zit.

— Zo veel muzikanten met een bruine gelaatskleur had je niet in Duitsland in die jaren, zegt de kapitein, ik zou verwachten dat ik hem alleen daarom al zou herkennen, maar dat is niet zo.
— Mijn oom had destijds lang haar, zegt Han.
— Dat hadden we allemaal, zegt de kapitein.
— U ook?
— Jazeker.

Dan kijkt Captain Liefie mij langdurig aan.

— Jij had vroeger een bos met krullen. Je wou het zo graag langer hebben, maar het kwam nooit verder dan tot je schouders.

Verbaasd kijk ik hem aan. Het klopt, maar hoe weet hij dat? Intussen richt de kapitein zich tot Han.

— En jij had vroeger zulk lang sluik haar dat het tot onder je kont hing.

Ook dat klopt als een bus! Halverwege de jaren zeventig was het haar van Han zo lang dat menige buurvrouw opgetogen tegen mijn moeder zei mij met een meisje door het centrum van Delfzijl te hebben zien wandelen. Onveranderlijk zei de betreffende buurvrouw er dan altijd bij dat het meisje in kwestie er van achteren hartstikke leuk uitzag, maar dat het van voren toch even slikken was.

— Dat was alleen maar vanwege mijn vlasbaardje, stelt Han, bovendien hadden die buurvrouwen er nooit zo'n punt van gemaakt als ze niet allemaal jarenlang gedacht hadden dat jij eigenlijk een homo was, Bill.

De kapitein barst in lachen uit. Voor even maar.

— Ho, zegt hij.
— Wat? Wat is er?
— Ik voel aandrang.
— Aandrang?

Zonder verder iets te zeggen grijpt hij de donkerblauwe jer-rycan naast het stuurwiel en schroeft de brede dop open. Tegelijkertijd ritst hij zijn broek open. Zou hij nu…? Moet hij nou echt…? Han en ik kijken elkaar verwilderd aan. Dan weer naar de kapitein. O God! Jazeker, hij gaat.
Prompt draaien we ons om, staren allebei naar buiten. Wat Han verder ziet weet ik niet, maar ik zie wat eenden langs de oever, happend in het water, op zoek naar voedsel, steeds dicht bij het laaghangende oevergras en de rietkragen langs de Eems. Schommelend op het water kijken ze wantrouwig toe hoe het logge gevaarte genaamd de Herz aan hen voorbij pruttelt.

— Wow! roept Han.

Wat? Wat is er? Ik hoor de kapitein nog steeds urineren in de jerrycan. Ik ga me nou toch echt niet omdraaien.

— Moet je eens kijken, Bill.
— Dat wil ik helemaal niet zien, gek!

Maar dan zie ik het ineens ook. Een grote gele helikopter stijgt op uit het woud aan de oostelijke oever en vliegt achter ons over de rivier, met een fonkelnieuwe maar zwaar beschadigde Volkswagen, aan ijzeren katrollen onder zich bevestigd.

* * *

Captain Liefie meert de Herz aan in de haven van Lathen, een dorp aan de Eems. Volgens de kapitein wonen er maar een paar duizend mensen. Toch is het overdag stervensdruk in Lathen. Het dorp herbergt maar liefst vier grote supermarkten en evenzovele bouwmarkten. Daarmee worden niet alleen de eigen inwoners maar ook die uit de omringende plaatsen – sommige wel 30 kilometer verderop – bediend.
Hubert de scheepsmaat springt als eerste aan wal en bindt de voorsteven van de Herz vast. Waarop de kapitein extra charge geeft naar rechts, zodat ook het achterschip de walkade van de haven van Lathen raakt. Als er nog maar 20 centimeter tussen wal en schip rest, durf ook ik eindelijk aan land te springen. Daar leg ik de achtertros om een bolder vast.

— Wat doe je nou? vraagt Han.
— Ik leg er een mastworp in, antwoord ik.

Weliswaar klink ik zo als een bonafide zeeman – ook al heb ik vroeger op de padvinderij dergelijke knopen leren leggen, nooit aan boord van een schip – maar ik vervloek mezelf. Was ik hier maar niet aan begonnen. Met zulk dik weerbarstig touw is het nauwelijks te doen er een gedegen knoop in te leggen.

Als het me uiteindelijk toch lukt, steek ik een duim op naar de kapitein, maar die zet achter het aanrecht in de stuurcabine een nieuwe pot koffie.

Dan steek ik maar een duim op naar de scheepsmaat met de unibrow, maar ook die ziet me niet.

Dan kijk ik maar om me heen. De haven van Lathen bestaat uit niet meer dan tien enorme betonplaten in een verlaten weiland in de uiterwaarden van de Eems, net voorbij de Sint Vitusbrug – ook een boogbrug – die het dorp met de westoever verbindt. Hijskranen staan hier niet. Alleen een silo om graan in over te laden en een oude roestige tractor. Dat is het.

— Wat denk je?
— Dit is werkelijk een aanfluiting van een haven, stelt Han.

Han en ik stammen uit Delfzijl, de meest noordelijke havenstad van Nederland. Ooit was Delfzijl na Rotterdam en Amsterdam een van de belangrijkste havensteden van Nederland. In onze jeugd was het er nog een bedrijvige boel, met viskotters aan de kade, zandzuigers, graanschepen en coasters, onder een lange rij van zwarte hijskranen die hoog in de lucht ladingvrachten in de overslagloodsen slingerden. Met de Pollux – een van de twee loodsschepen van Delfzijl – die naar buiten voer om op open zee andere schepen van loodsen te voorzien, zodat ook die schepen ongehavend door de vaargeulen de haven konden bereiken, vanwege de verraderlijke zandbanken die net onder het wateroppervlak op de loer liggen.

— Delfzijl was pas een haven!
— Een haven om trots op te zijn, beaamt Han.

Delfzijl was ook een haven waar bejaarde zeemannen rond het middaguur op de kade bijeenkwamen, vlak bij de weegbrug, waar ze elkaar koortsachtig vertelden over hun zeerei-

zen naar de havens van Southhampton, Le Havre en Esbjerg.
Over hoe het kon spoken op de Doggersbank, in het Skager-
rak en natuurlijk de Golf van Biskaje.

Het was een haven waar de oude mannen een praatje aan-
knoopten met de bemanningsleden van een net binnenge-
lopen vissersschip en dan zomaar een plastic zak vol schol
cadeau kregen, die ze dan weer verdeelden onder de buren
thuis.

En waar altijd tussen de geuren van diesel en vis die vreemde
weemoed hing, die onstilbare zucht van de mens naar de zee,
die dan weer fascinerend is, dan weer bedreigend, dan weer
geruststellend en vreedzaam, dan weer angstwekkend onein-
dig, maar altijd en vooral – zoals ze in Hamburg nog steeds
zeggen – de belichaming van de Grote Vrijheid.

Als eb en vloed.
De schepen komen en de schepen gaan.
Als eb en vloed.
De mens komt en de mens gaat.

* * *

Ik kauw op keihard brood als ik de kapitein zie hurken in
het natte gras aan de waterkant, net voorbij de betonplaten
van de havenkade van Lathen. Het brood is niet te vreten.
Weliswaar heb ik er waterige margarine op gesmeerd en het
belegd met een plak kaas, maar ik kan het amper naar binnen
werken.

— Duits zuurdesembrood, stelt Han vast.
— Kun jij het eten? vraag ik hem.
— God, nee.

Ik kan er niet aan wennen, aan het Duitse brood. Als kind
vond ik het al smerig. Nu nog steeds. Het is vast goed voor

de stoelgang, maar qua eetgenot scoort het een dikke onvoldoende.

— Wat doet de kapitein daar?

Ik kijk op vanuit de stuurcabine van de Herz en zie hoe de kapitein het lange gras aait, alsof het een kat is, of misschien zelfs een kind. Ook zie ik hoe hij tegen het gras spreekt.

— Het is net alsof hij tranen in zijn ogen heeft, meent Han die naast me staat.
— De kapitein toch niet, zeg ik, dat is een echte rauwdouwer.
— Toch lijkt het zo.

Ik zie nu ook iets glinsteren bij de ogen van de kapitein verderop in het gras. En ik voel iets bij mijn eigen ogen. Ook tranen, maar dan tranen van inspanning.

— Dit brood is echt niet te eten.

Ik loop de stuurhut uit en werp mijn boterham overboord, waar 'ie in het bruine water direct als een steen de diepte in zinkt.
Hubert de scheepsmaat staat verderop in de gangboord naast de laadruimte. Hij draait een shagje en kijkt zo nu en dan om naar de kapitein daar in het natte gras aan de oever van de rivier.

— Die ouwe raakt haar maar niet kwijt, mompelt de scheepsmaat.
— Over wie heb je het? vraag ik hem.

Hij haalt zijn schouders op, steekt zijn shagje aan en loopt naar de voorsteven van de Herz.

Wanneer Han en ik een uur later het dorp in willen gaan – om ergens een fatsoenlijke lunch te nuttigen en om een shawl voor oom Neppie te kopen – zit de kapitein nog steeds in het lange vochtige gras aan de rivieroever.

— Als je de kapitein zo ziet, zegt Han, is het net alsof hij iemand vasthoudt. Alsof er iemand in zijn armen ligt die hij liefdevol omarmt.
— Liefdevol?
— Ja.

Dan kijkt Han me gegeneerd aan.

— Weet ik veel, zegt hij.
— Liefdevol, herhaal ik smalend.
— Je weet wel wat ik bedoel.
— Liefdevol… Ben je een watje of zo? Liefdevol… Man, wat een woord…

Als we net de doorgaande weg zijn overgestoken naar het centrum van Lathen, kijk ik nog eenmaal om naar de kapitein. Liefdevol… Dat is een uitdrukking die mannen als wij al jaren niet meer bezigen, maar ook ik kan niet ontkennen dat het inderdaad net is alsof de kapitein daar in het lange gras iemand streelt, iemand die languit en ontspannen in zijn machtige armen achterover ligt. Ook al omvatten zijn armen alleen maar leegte.

— Liefdevol, mompel ik.
— Man o man, zucht Han, wat een woord!

* * *

— Wie wil er een sinaasappel?

46

— Ik niet, zegt Han die aan het telefoneren is.
— Ik moet aan mijn lijn denken, zeg ik.

De kapitein haalt zijn schouders op. Als enige neemt hij een sinaasappel uit het kratje naast het aanrecht. Intussen kijkt Han me fronsend aan.

— Wat is er?
— Tante Carola is net in Hamburg aangekomen, zegt hij.
— Had ik al begrepen.
— Maar de tank van de Espace is inmiddels helemaal leeg.
— Hoe kan dat nou? Je had hem gisteren nog helemaal gevuld.
— Die kutauto van mij zuipt als een ketter, bromt Han.

En dan heeft hij het nog niet eens over de winterbanden die hij er binnenkort weer op moet laten zetten à € 200 per stuk. Exclusief werkloon. Voor de jaarlijkse skivakantie met Annet en de kinderen rond Kerstmis.

— Nee, roept hij in zijn iPhone, niet vullen met Super maar met Euro Loodvrij!
— Vraag jullie tante eens wie Udo is, zegt de kapitein.
— Het is mijn tante niet, mompel ik.

Onbegrijpend staart Han de kapitein aan, die een sinaasappel pelt en de schillen daarvan in de donkerblauwe jerrycan deponeert.

— Vraag je tante wie die Udo is, zegt de kapitein, voor wie ze vanochtend haar man verliet en voor wie ze op stel en sprong naar Hamburg is vertrokken.

Udo is haar beste vriend en de leider van een of ander showorkest in Hamburg die haar deze dagen – ongeacht haar situatie en of het wel zo uitkomt – bijzonder dringend nodig heeft. Voor mij is dat duidelijk genoeg.

— Wie is die Udo eigenlijk? vraagt Han aan tante Carola.

Dan blijft het aan deze kant van de verbinding een lange tijd stil. Zo nu en dan horen we Han 'uhum' zeggen en zien we hem knikken, maar dat is het. Als hij het gesprek beëindigd heeft, kijkt hij ons verward aan.

— Lindenberg, zegt Han beduusd, het gaat om Udo Lindenberg.
— Dat dacht ik al, zucht de kapitein.

De sinaasappel in zijn grote hand knijpt hij tot pulp.

— Blijkbaar behoort mijn tante tot het Panik Orkester van Udo Lindenberg, zegt Han.
— Dat is niet zomaar een of ander showorkest, zegt de kapitein stuurs, maar een van de grootste rockbands van Duitsland.
— Klopt, zegt Han, ze spelen nu drie dagen lang in Hamburg in een al maanden geleden volledig uitverkochte arena, met in totaal meer dan 120.000 betalende bezoekers.
— Udo Lindenberg, stamel ik, was die niet…?
— Ja, zegt Han, die was…

* * *

In de lente van 1980 bezochten Han en ik het popfestival van Lochem in Gelderland. Met The Romantics zongen we luid mee. *'What I like about you'*. Bij Bram Vermeulen hoopten we tegen beter weten in dat Freek de Jonge elk moment het podium op zou lopen. En bij Motörhead lieten we ons net als iedereen helemaal vooraan bij het podium, volledig wegblazen door het overdonderend harde volume. Niet omdat we het zo goed vonden – ook al vonden we hun nummer '*The ace of spades*' wel degelijk heel goed – maar omdat we te lamlendig waren naar achteren te gaan, waar de mega herrie van Motörhead wellicht iets beter te verdragen was. Han was daarvoor te stoned en ik was te aangeschoten, wat bij mij op die leeftijd – 20 jaar destijds – algauw het geval was zodra ik vier biertjes naar binnen had geklokt.

Terwijl Motörhead met hun turbolawaai half Gelderland plat speelde, hingen Han en ik aan de veiligheidshekken, als twee zeemannen aan de reling van een schip dat elk moment ten onder dreigt te gaan.

We waren in een dermate staat van zijn dat we ook na de orkaan van Motörhead zo in de hekken voor het podium bleven hangen.

— Ik ben zooo dronken, zuchtte ik.
— Ik ben zooo stoned, kreunde Han.
— Ja, ja, lachte ik.
— Ik ben zooo out, het is gewoon fout.

Waarop we allebei in de lach schoten.

— Ik dan, zei ik, ik ben zooo zat...

Ik probeerde mijn beste vriend minstens net zo grappig te parafraseren.

— ... het is gewoon...
— Het is gewoon wat?
— Weet ik nog niet. Wacht even. Ik ben zooo zat, het is gewoon...
— Wat? gierde Han het uit, wat is het dan?

Ik had geen idee wat ik was. De storm was wel gaan liggen, maar de alcohol sudderde nog steeds in mijn aderen en verschrompelde mijn toch al weinig opmerkelijk associatievermogen tot dat van een doperwtje ten opzichte van een olifant met een waterhoofd.

— Wat ben je dan? gniffelde Han, wat de fuck ben je dan?
— Als een…, probeerde ik het nog eens, als een…

Godallemachtig, wat was ik aangeschoten. Er wilde me niets te binnen schieten dat rijmde op 'zat'.

— Als een…
— Bill! klonk het bij het podium.
— Als een Bill? vroeg Han verbaasd.
— Bill! klonk het nog eens.

Ik keek om me heen, want ikzelf had niets gezegd en sowieso rijmt 'Bill' niet op 'zat'. Weliswaar was ik dronken, maar dat wist ik wel.
Intussen stapte er vanuit de persbox naast het podium een jongeman op ons af, met sluik blond haar, maar dan wel kort-geknipt en strak gemodelleerd zoals de modieuze New Wave het rond 1980 voorschreef.

— Ik ben het! riep de jongeman.
— Ja, riep ik terug, jij bent het!
— Wie is hij dan? vroeg Han.
— Hij komt me bekend voor, zei ik, maar ik kan hem niet een-twee-drie plaatsen.

Blijkbaar had de jongeman met het blonde haar dat ook door.

— Ik ben het, riep hij nogmaals, ik ben het: Kooos.
— Koos, zei Han, dat is Koos toch niet?
— Met drie O's, zei Kooos.
— Och Kooos, riep ik uit, dat is Kooos!

Nou herkende ik hem. De jongere broer van sterfotograaf Anton Corbijn. In het echt heette hij Maarten – dat dan weer gewoon met twee A's – maar onder het pseudoniem Kooos maakte hij net zoals zijn broer foto's van popmuzikanten, bij voorkeur tijdens liveoptredens.

Zo was ik hem de afgelopen maanden al een paar maal tegengekomen bij concerten in het Groninger jongerencentrum Vera. Sinds de winter werkten Han en ik daar als vrijwilliger. Han op de zeefdruk en ik bij de concertorganisatie. Geregeld bouwde ik op donderdagavond samen met anderen het podium op in de Grote Zaal als daar een concert van een band werd gegeven. Verder verrichtte ik diverse hand- en spandiensten, zoals het uitladen van het instrumentarium of het ophalen van pizza's voor de band. En zo kwam ik in al die drukte voorafgaand aan zo'n concert in contact met Maarten – of Kooos – of in elk geval de jongere broer van Anton Corbijn – die dan wel ietsjes ouder was dan ik, maar net als ik *Muziekkrant Oor* van A tot Z spelde, waar hij dan ook nog eens geregeld foto's voor leverde, en daarin vonden we elkaar, in die prachtige passie van jongeren voor muziek.

— Dat is dus Koos, lachte Han.
— Met drie O's, zei ik.
— Maar je kunt me ook gewoon met Koos aanspreken, glimlachte Kooos.
— Dat is mooi, zei Han, maar dan wel met drie O's.
— Wat bedoel je?
— Moooi.

Intussen werd het podium van het popfestival van Lochem gereedgemaakt voor Udo Lindenberg Und Das Panik Orkester. De Duitse rockzanger – in zijn vaderland al jaren garant voor uitverkochte zalen – had onlangs een Nederlandstalig album uitgebracht en was benieuwd of het nu ook mogelijk was hier een voet tussen de deur te krijgen. Zijn aanval op de

Nederlandse markt luidde hij derhalve in met dit optreden in Lochem.

— Ik moet het hele gebeuren fotograferen, zei Kooos.
— Joh, zei ik.

Ik deed mijn best zo nuchter mogelijk te klinken.

— Probleem alleen is dat de redactie er ook een totaalshot van boven bij verwacht.
— Ga je dat vanuit een helikopter doen? vroeg ik benieuwd.
— Daar is geen budget voor, lachte Kooos.

Hij wees vervolgens op een montagelift naast het podium. Het ding was door de organisatie gebruikt voor het stapelen van de geluidboxen aan weerszijden van het podium, maar gewoonlijk worden er tijdens de bouw van een huis bakstenen langs verscheidene verdiepingen mee omhoog getransporteerd.

— Ik heb het gisteravond geprobeerd, zei Kooos, maar ik krijg te veel last van hoogtevrees.
— Met drie O's? vroeg Han.

Fronsend keek Kooos Han aan, waarna hij zich weer tot mij keerde.

— Zou jij het willen doen? vroeg Kooos aan mij, het zijn maar tien foto's die je van boven vanuit de montagelift moet maken als Udo hier straks met zijn band speelt. Ik zorg er dan voor dat je een credit krijgt, zeker bij de reportage voor de *Oor*.
— Natuurlijk wil ik dat wel doen! juichte ik.

Met mijn naam in de *Oor*. Geweldig!

— Ik ook, zei Han.
— Hoezo jij ook? vroeg ik hem.
— Wie van ons tweetjes studeert er nou om grafisch ont-
werper te worden?

Dronken als ik was, wist ik zeker dat Han diegene was.

— Ik weet niet of de bouwlift het gewicht van jullie tweetjes
aankan, zei Kooos.
— Dan houdt Bill gewoon zijn buik in, zei Han.
— Doe ik! riep ik.

Toen het concert van Udo Lindenberg Und Das Panik Orkester even later op het podium van het popfestival van Lochem
begon, hadden Han en ik in de persbox allebei al een sloot
koffie naarbinnen gewerkt en gezamenlijk acht krentenbol-
len verorberd. Allemaal voor ons geregeld door Kooos. Maar
goed ook. We moesten er volledig bij zijn met het hoofd.
Schuin beneden ons zette Udo Lindenberg een van zijn in het
Nederlands vertaalde hits in. In Duitsland vonden zijn elpees
gretig aftrek. Hoe dat in Nederland zou gaan, vroeg ik me af.
Zijn stem was erg iel, zodat hij de woorden leek af te knijpen,
waardoor je geen moer van de tekst verstond. Maar er werd
hard gerausd op de gitaren, vooral door een volledig in het
zwart geklede gitarist met zwart krullend haar die geregeld
een trek nam van zijn sigaret die hij daarna weer op een van
de uit de spanners stekende snaren drukte, bovenaan de gi-
taarhals.

— Dat is de beste gitarist die ik ooit gezien heb, zei ik.
— En David Gilmour dan? vroeg Han.
— Die heb ik nog nooit live gezien.
— Nou ja, zei Han, deze Duitse gitarist is inderdaad onge-
lofelijk cool. Trouwens…
— Wat?
— Je krijgt er toch geen erectie van, hè?

— Natuurlijk niet. Hoezo?
— Ik voel iets prikken in mijn reet.

Shit! Ik moest snel aan iets anders denken. Bijvoorbeeld aan een bobine. Han en ik lagen immers boven op de bouwlift op elkaar. Niet als man en vrouw natuurlijk, maar als twee lullige kwajongens die pas op deze hoogte tot het besef komen dat er op dat smalle platform niets om hen heen is om zich aan vast te klampen behalve het platform zelf. Daarom lagen Han en ik in blinde paniek op elkaar, eerst Han met zijn buik op het platform, daaroverheen ik met mijn buik op Han, beiden graviterend naar het midden van het plateau.

De ellende was: ik kon niet aan de coole gitarist denken, maar ook niet aan een bobine. Het enige waar ik nog aan kon denken was de duizelingwekkende hoogte van de bouwlift en dat ik zo graag weer met beide benen op de grond wilde staan.

— Maak die verdomde foto's nou, schreeuwde ik tegen Han, dan kunnen we weer naar beneden.
— Wat denk je dat ik hier probeer te doen, gek! riep Han terug.
— Weet ik veel, jammerde ik, maar het schiet niet op zo. Ik wil terug naar de begane grond.
— Ik ook, schreeuwde Han, maar hou nou je bek zodat ik die stomme foto's kan maken.
— Is goed, zuchtte ik.
— En hou op me in mijn reet te prikken.

Ik scheet net zo veel bagger als Han. Nog meer toen ik ineens iets hoorde kraken. Het was alsof er iets begon te scheuren.

— Schiet op, Han!
— Ik heb de focus bijna scherp, zei Han.

Op dat moment gebeurde het. De scheur werd een knal en de

knal werd een knap. De ijzeren lier van de montagelift begaf het, waardoor het plateau met ons erop naar beneden sodemieterde en we met een rotsmak op de grond vielen.

— Mijn fototoestel! hoorde ik Kooos nog vol afgrijzen roepen.

Hoe het precies gebeurde heb ik achteraf nooit begrepen, maar op de een of andere manier brak Han mijn val en ik de zijne. Nadien zaten we onder de blauwe plekken en liepen we mank vanwege beurse schouders en wat niet al, maar gelukkig hadden we allebei niets gebroken.

Udo Lindenberg zag onze val in een oogopslag plaatsvinden en zette prompt de muziek stil. Beduusd lagen Han en ik op de grond en staarden omhoog, recht in het gezicht van de Duitse zanger. De fotocamera van Kooos lag naast ons, totaal aan gort, totaal aan gruzelementen. Daar was niets meer van over.

Zo oorverdovend hard als het net nog was geweest met Motörhead, zo muisstil was het nu op het festivalterrein. Je kon een speld horen vallen.

Bezorgd keek Udo ons intussen aan vanaf het hoge podium. Toen hij begreep dat we niets gebroken hadden, stak hij een opgestoken duim naar ons toe, meer als een vraag: zijn jullie twee OK?

Alles deed pijn en onze lijven voelden zo gekneusd aan alsof de drummer van Motörhead er net urenlang op had zitten beuken, maar Han en ik staken allebei gelijktijdig een duim op als antwoord: ja, we zijn OK. Waarop Udo opgelucht glimlachte. Hij greep zijn microfoon weer.

— Geen paniek, zei hij geruststellend tegen het verontruste publiek, alles is weer klaar.

Terwijl Udo Und Das Panik Orkester – en zeker ook de coole gitarist met de zwarte krullen – opnieuw in vuur en vlam schoten en hun in het Nederlands vertaalde hits op het publiek afvuurden, strompelden Han en ik weg, hij leunend op mij, ik leunend op hem, op zoek naar een plek om even bij te komen van deze heikele gebeurtenis. Maar toen we eenmaal een vrij plekje achter op het terrein vonden en daar neerploften deed ook dat hartstikke zeer.

— Auw! schreeuwde ik het uit.
— Auw! schreeuwde Han.

* * *

— Denkt u dat het lukt? vraagt Han.
— Geen paniek, zegt de kapitein.

Het is middernacht en we zitten in een taxi. Ik zit voorin naast de taxichauffeur. Han, oom Neppie en de kapitein zitten op de achterbank.

— Waarom zijn alle Duitse taxi's beige gekleurd? vraag ik.

De chauffeur geeft geen antwoord. Terwijl hij zijn wagen door het dorp koerst, kijkt hij steeds in de achteruitkijkspiegel.

— Wat is er met de man met de zonnebril aan de hand? vraagt de chauffeur.
— Beige taxi's, zeg ik snel, het valt me op dat alle taxi's in Duitsland beige gekleurd zijn.
— Is hij soms ziek? vraagt de chauffeur.
— Is het nog ver naar de Transrapid? vraag ik.
— Die vent ziet er hartstikke ziek uit, zegt de chauffeur.
— Hoe ver is het nog? vraag ik hem, nog vier kilometer? Nog vijf kilometer? Nog 54 kilometer?
— Zal ik u niet liever naar het ziekenhuis in Meppen brengen? vraagt de chauffeur.
— *Halt die Klappe!* zegt de kapitein op een barse toon.

— Maar…
— Doorrijden en je mond houden!

Lathen ligt inmiddels achter ons. We rijden door een halfverlichte straat op een industrieterrein. Grote, donkere loodsen om ons heen, elk met een hoge afrastering rondom. Dan naderen we het einde van de weg. Een viaduct met daaronder een T-splitsing, waarachter alleen maar bomen, voor zover ik kan zien in het schijnsel van de koplampen van de taxi. Woud, woud en nog eens woud.
Het viaduct blijkt evenwel niet een weg te zijn als we er dichterbij komen, maar een smalle rail van beton, die op vijf meter hoge pijlers – eveneens van beton – wordt gedragen.

— Dat is de monorail van de Transrapid, zegt de kapitein.

De Transrapid is Lathen's *claim to fame*, een zweeftrein die hoog boven de grond over een monorail loopt. Hij werkt op basis van elektromagnetische principes, met magneten die steeds weer in elkaar grijpen en elkaar dan weer afstoten. Dit genereert zoveel kracht en energie dat de zweeftrein gemakkelijk 200 kilometer per uur haalt. Daarbij is de trein milieuvriendelijk en zowel van buiten als van binnen praktisch geluidloos.
Hier in Lathen bevindt zich het proeftraject – een baan van zo'n 40 kilometer lang, hoog door het woud – waarop de nieuwste ontwikkelingen van de zweeftrein worden getest, maar ook geldt het als showcase voor geïnteresseerde opdrachtgevers (die er in Europa vreemd genoeg amper te vinden zijn).
Aan de linkerkant van de weg staat het helverlichte terrein van de Transrapid, waar een zweeftrein uit een op dezelfde hoogte als de monorail gebouwde loods naar buiten steekt.

— Dit is het, zegt de chauffeur die de taxi stilzet.

Han en ik stappen uit. Zo ook de kapitein, die oom Neppie uit de auto trekt. Maar de vanmiddag voor oom Neppie gekochte shawl blijft steken onder de rand van het zijportier. Waarop de kapitein oom Neppie een ruk geeft. Tot onze schrik scheurt de kraag van Ductape open en laat het hoofd van oom Neppie los van de romp, zodat het op de achterbank van de taxi valt.

— Wat hebben jullie gedaan! gilt de taxichauffeur het uit.

De kapitein bedenkt zich niet en slaat de taxichauffeur met een donderende kaakslag knock-out.

— Hier was ik al bang voor, mompelt de kapitein.

Ondertussen blaast hij over de knokkels van zijn hand.

— Captain?

Han en ik draaien ons om en zien vanuit het donker een wat oudere man in langzame stappen op ons toe lopen.

— Frits?
— Ja, captain, ik ben het.

De oudere man heeft het uniform van een nachtwaker aan, hij heeft kort, stevig haar, als een borstel, en een vierkant sikje om zijn mond heen.
De beide mannen – de kapitein en de nachtwaker – lopen op elkaar toe en drukken elkaar de hand.

— We hebben een probleem, Frits, zegt de kapitein.

Hij wijst op oom Neppie en diens hoofd dat nog achter in de taxi op de bank ligt.

— Is dat hem? vraagt Frits.

— Ja, zegt de kapitein, maar het moet allemaal gefilmd worden en daarvoor moet het hoofd eerst weer op de romp worden bevestigd.

— Duidelijk, zegt de nachtwaker.

— Heb jij toevallig Ductape?

— *Na klar*, zegt de nachtwaker, had ik al meegenomen van huis. Hoe moeten we de oom anders op de zweeftrein vastbinden? Voor de zekerheid heb ik vanmiddag zelfs drie rollen in de bouwmarkt gekocht.

* * *

Het is ruim een uur later als we klaar zijn met de voorbereiding, maar het ziet er goed uit. Oom Neppie staat nu op het stootblok aan de voorkant van de zweeftrein, die eerder op een modern metrostel lijkt dan op een reguliere trein. We hebben oom Neppie compleet vastgebonden met Ductape. Om zijn voeten, om zijn middel, om zijn torso, om zijn armen. Sommige uiteinden hebben we vastgeplakt op de voorruit van de zweeftrein, maar ook hebben we de tape doorgetrokken, de zweeftrein in, en daar aan elkaar vastgeknoopt, alsof het touw is.

— Stom van me dat ik geen touw uit de bouwmarkt heb meegenomen, zegt Frits de nachtwaker.

— Zo gaat het ook, meent de kapitein.

Oom Neppie staat nu als een van de Jezusbeelden in deze omgeving met uitgestrekte armen voor op de zweeftrein. Alleen zijn rechterhand steekt een stukje voorbij de voorruit uit.

— Moet wel, stelt Frits, anders heb ik straks onvoldoende zicht om de trein te besturen.

Ook de taxichauffeur hebben we met Ductape vastgebonden. Die ligt nu op de grond van het kantoortje waar Frits het merendeel van de tijd doorbrengt gedurende zijn lange nachtdiensten. Voor de zekerheid heeft Captain Liefie de bewusteloze chauffeur een halve fles Korn van 40% in de keel gegoten.

* * *

— Staat het erop?
— Ja, zegt Han.

Wat wij al niet doen voor een dode vent. Of eerder zijn *pushy* weduwe. Natuurlijk, tante Carola is een mooie vrouw, ook op die leeftijd en van de operatie zie je gelukkig niets (wat natuurlijk ook de bedoeling is). En dan al die tranen erbij! Je moet als man wel uit heel stevig hout gesneden zijn, wil je haar dan nog iets weigeren.
Vooral die tranen. Daarmee brak ze definitief mijn laatste weerstand. Die van Han ook. We gingen allebei akkoord, we gingen allebei op het absurde verzoek in om de wenslijst van oom Neppie in te willigen, zelfs nu hij nog maar net overleden was.

— Dit is het laatste wat ik voor hem kan doen, huilde tante Carola.

Aangezien ze de zakdoek van Han inmiddels al had doorweekt met haar tranen, gaf ik haar de mijne.

— Er was niemand die mij zo onvoorwaardelijk liefhad als jullie oom, snotterde tante Carola.
— Mijn oom, zei Han.
— Zijn oom, zei ik wijzend naar Han.
— Voor Neppie had die laatste ingreep niet eens gehoeven, huilde tante Carola.

— Mijn oom, aarzelde Han.

Daarbij keek hij me aan alsof hij het niet helemaal begreep.

— Jouw oom, zei ik.

Ik keek terug met exact dezelfde blik: ik begreep het ook niet helemaal.

— Hij heeft mij me altijd meer vrouw laten voelen dan ik ooit voor mogelijk heb gehouden, zei tante Carola door haar tranen heen.
— Dat is nou mijn oom, zei Han met een snik in zijn stem.
— Dat was je oom, corrigeerde ik hem.

Han knikte.

— Wat een oom, zei hij.
— Dat zeker, zei ik.

Tante Carola legde ons het verlanglijstje voor dat oom Neppie had opgesteld, vlak voordat hij terminaal ziek werd. Dit waren de dingen die hij *unbedingt* nog wilde doen in zijn leven. Het waren stompzinnige zaken, zoals bungeejumpen. Al waren Han en ik eigenlijk blij dat het dit was en niet zoiets als parachutespringen, want dat hadden we wis en waarachtig nooit voor elkaar gekregen. Dat zou dan met een tandemsprong moeten gebeuren, aangezien iemand anders de parachute van oom Neppie open zou moeten trekken, zodat oom Neppie niet dodelijk – nou ja – zou verongelukken. Welke idioot zouden we daarvoor moeten inhuren?

Natuurlijk waren dat allemaal overwegingen van eergisteren. Toen kenden we Captain Liefie nog niet.

De ellende met de film *Titanic* is niet zozeer de overdaad aan rampspoed wanneer het schip na een aanvaring met een ijsberg zinkt en talloze mensen in het oceaanwater verdrinken, maar die stompzinnige scène halverwege de film, als Leonardo di Caprio zijn vriendinnetje Kate Winslet vasthoudt, die met gespreide armen op de voorplecht van de gedoemde oceaanstomer staat. Je zag het daarna overal: vrouwen en mannen die net zo op een schip, op een ander vervoersmiddel, op de top van een wolkenkrabber of op een berg gingen staan. Het was in één klap het nieuwe toppunt van romantiek. En iedereen moest het doen. Net zoals niemand meer in Londen het zebrapad op Abbey Road kan oversteken zonder The Beatles na te doen.

Ook oom Neppie had dit in zijn wenslijstje verwerkt. Met uitgespreide armen nog eens op een trein staan. Zijn eigen idee was geweest het te doen op de stoomlocomotief van Medemblik naar Hoorn, maar daarvoor kwam zijn dood te vroeg.

Ons idee – het idee van Han en mij – was het te doen op het stoomtreintje voor kindertjes in het amusementspark Nienoord in Leek, vlak bij Groningen. Dat was waar we naartoe zouden gaan na het bungeejumpen op de hoge boogbrug over de Eems bij het Duitse Meppen. We hadden het daar vanmorgen vroeg in de ochtend willen doen. Oom Neppie erop zetten, zijn armen spreiden en ik die dan het treintje zou voortduwen.

(In mijn versie van het plan zou Han overigens het treintje voortduwen.)

Maar toen gooide ene Udo uit Hamburg roet in het eten.

Afijn, zo kan het ook.

Han heeft het vertrek van de zweeftrein met zijn digitale camera gefilmd. We zijn maar twee meter vooruit gegaan voordat Frits de nachtwaker de zweeftrein alweer heeft stilgezet. Maar het begin van de reis – nu al spectaculairder dan we ooit zelf hadden kunnen verzinnen – staat er in elk geval op.

* * *

— Waar razen we heen? vraag ik aan Frits.

De nachtwaker van de Transrapid bedient in de stuurcabine van de zweeftrein de twee meest essentiële knoppen: eentje voor de snelheid, eentje voor de rem.

— We razen nergens heen, antwoordt de oude Frits.

Hij heeft een twinkeling in zijn ogen en een strak gedraaid shagje bungelt tussen zijn lippen. Ook hoor ik hem soms even een liedje neuriën. Volgens mij is het '*Ich bin wie Du (wir sind wie Sand und Meer)*'. Het verbaast me. Niet zozeer het liedje, maar dat ik het zo duidelijk kan horen. Toch is het logisch. Vanbinnen is de zweeftrein zowat muisstil. Je hoort geen zware motoren onder je, zelfs niet de wind die wel om ons heen moet blazen, want we razen wel degelijk voort door het woud hier ten oosten van Lathen. Bomen schieten langs ons heen, in zo'n duizelingwekkende vaart dat je niets meer kunt herkennen.

— Hoe snel gaan we nu?
— 170 kilometer per uur, glimlacht Frits.
— Wat een rotsnelheid!
— Geen paniek, *Kumpel*. We zitten immers op een gesloten circuit.

Dit zijn de momenten waarop ik wens iets meer technisch inzicht te hebben. 'Gesloten circuit', voor mij is dat net zo'n term als bobine of dynamo. Ik moet er altijd even over nadenken voor ik begrijp wat het precies betekent of wat de functie ervan is.

— We komen op hetzelfde punt uit als waarvan we vertrokken, zegt Frits, we rijden met andere woorden in een rondje.

Dat snap ik dus. Dat snap ik verdomme! Gesloten circuit... Natuurlijk! Maar wat de fuck doet een bobine nog maar weer in de motor van een auto? O, ik heb hier zo'n hekel aan. Waarom weet ik dat niet meer?
Ik wil het Han vragen, maar die is druk bezig met filmen. Van binnen filmt hij de als Kate Winslet met uitgestrekte armen op het voorraam van de zweeftrein gemonteerde oom Neppie. Han heeft zijn oom inmiddels al vanuit elke denkbare artistieke hoek gefilmd. Van links, van rechts, van op zijn knieën, met tegenlicht. Nu zo dat de neus van de oude nachtwaker en het uit diens lippen hangende shagje net voor oom Neppie helemaal rechts in het beeld te zien zijn.

— Het beeld komt pas tot leven als je de invalshoeken varieert, stelt Han.

Ik laat hem maar even de grote regisseur uithangen. Han moet maar doen wat hij moet doen. Intussen blijf ik met de vraag zitten waartoe een bobine nou precies dient. Wellicht dat Captain Liefie het weet.
Die zit verderop in het passagiersgedeelte van de zweeftrein, op één van de grijs gekleurde banken, waar diagonaal een felrode streep in het textiel over getrokken is. De kapitein zit met het hoofd tegen het raam. Misschien is hij moe – het is al ver na middernacht – maar het is net alsof de grote man weent. Alsof hij zachtjes met zijn kale kop tegen het zijraam tikt. Tegelijkertijd lijkt het alsof er iemand bij hem op schoot zit, iemand die hij teder vasthoudt in die lompe, lege armen van hem.
Net zoals we hem vanmiddag op het gras in de haven van Lathen zagen zitten.

Ik laat hem maar.

Misschien als ik er niet langer aan denk, dat dan de betekenis en vooral de functie van de bobine me vanzelf te binnen schiet. Zo werkt dat toch steeds vaker nu ik de 50 gepasseerd ben. Sommige zaken die voorheen tot mijn parate kennis behoorden – zoals de naam van de hoofdstad van Australië – raak ik steeds vaker tijdelijk even kwijt. Dan kan ik er absoluut niet meer opkomen wat het nog maar was. Als er dan geen computer of een of andere smartphone voorhanden is om het te googelen, dan kan ik in zo'n geval beter wat anders doen. Meestal valt na verloop van tijd alsnog de gezochte naam zomaar uit mijn mond.

Ik ga naast Frits achter het bedieningspaneel van de zweeftrein staan.

— Verdomme Bill! roept Han achter me, je loopt zomaar mijn beeld in.

Hoofdschuddend draai ik me om.

— Niet in de camera kijken! roept Han.

Ik draai me weer terug en zie aan de hand van de snelheidsmeter hoe Frits langzaam vaart begint te minderen. Ik steek een sigaret op. De nachtwaker wijst me op het plastic koffiebekertje op het paneel. Het is nog half gevuld met koffie. Net als Frits dien ik dat als asbak te gebruiken.

— Ik ga straks nog een stukje rijden met de deuren open, zegt hij, zodat niemand morgen zeuren kan over de geur van rook in de trein.
— Is dat niet koud? vraag ik.
— Ik heb een shawl bij me.

Net als de vrouw van Han lijkt Frits de nachtwaker op alles te zijn voorbereid. Hij weet vast ook wel wat een bobine doet. Maar nou weet ik natuurlijk weer niet wat het Duitse woord is voor een bobine.

— O nee! roept Han.
— Sta ik weer in beeld? vraag ik.
— Oom Neppie glijdt van het raam af!

Het Jezusbeeld op onze trein begint inderdaad gevaarlijk naar rechts te glijden.

* * *

Terug op de standplaats van de zweeftrein in het onderzoekscentrum van de Transrapid slepen de kapitein en ik het lichaam van oom Neppie het kantoortje van Frits binnen.

— De schade valt gelukkig mee, zeg ik.
— Dit had beroerder kunnen aflopen, zegt de kapitein.

Oom Neppie had immers volledig van de trein kunnen afglijden. Dan was de zweeftrein zonder pardon over hem heen gegaan. Vanwege de elektromagnetische flux zweeft de trein gemiddeld tien centimeter boven de monorail onder zich, maar dat zou hem nooit hebben gered. Oom Neppie zou hoe dan ook tot moes gemalen zijn.

Nu heeft hij alleen maar zijn rechterhand verloren. Die werd er afgesneden op het moment dat de zweeftrein het perron van de standplaats binnenreed. Toen Han het zag gebeuren, raakte hij daarnet helemaal in paniek.

— Geen paniek, zei Frits.
— Maar ik ben in paniek! riep Han.
— Rustig ademen, zei Frits, dan raak je minder in paniek.
— Daar is nu geen helpen meer aan, riep Han uit, ik ver-

keer in totale paniek!

— In totale paniek?

— Ik heb de totale paniek! gilde Han het uit.

Waarop de nachtwaker Han een klap in het gezicht gaf.

— Dat helpt echt niet, idioot! riep Han.

En nogmaals gaf de nachtwaker Han een klap in het gezicht.

— Ik zeg je toch dat dat niet helpt, zei Han verbouwereerd.

— Had je me maar geen idioot moeten noemen, zei Frits.

— Maar dat bedoelde ik…

Wederom kreeg Han een pets in het gezicht.

— Waarom doe je dat nou?! schreeuwde Han.

— Voor de lol, antwoordde Frits.

— Ouwe gek!

Opnieuw een pets.

— Idioot!

Pets.

Vreemd genoeg bleek het nog te werken ook. Han werd op slag weer rustig en samen met Frits ging hij op pad, om onder het perron te zoeken naar de verloren hand van oom Neppie. Ze namen allebei een zaklantaarn mee en zo verdwenen ze in het duister.

In het kantoortje van de oude Frits – waar een klein zwartwit televisietoestel nog steeds aanstaat op een commerciële zender die 24 uur per dag alleen maar autoraces uitzendt en waar een bomvolle asbak op een stapel kranten naast een aluminium thermoskan ligt – leggen de kapitein en ik oom Neppie neer naast de vastgebonden taxichauffeur, rond wie een walm van Korn hangt.

— Het lijkt wel alsof hij in coma is, wijs ik bezorgd naar de chauffeur.
— Hij is gewoon laveloos, meent de kapitein.
— Zou u denken? Want ik hoor hem niet meer. Ik hoor hem niet eens snurken.

De kapitein wrijft zich over het kale hoofd, knielt dan neer naast de chauffeur en geeft hem een paar harde klappen op de wang. Waarop de taxichauffeur zijn ogen opent en ons verbaasd aankijkt.

— Er is niets aan de hand, lacht Captain Liefie.
— Gelukkig maar, zeg ik.
— Waar ben ik? vraagt de chauffeur.

Een stevige alcoholdamp komt ons tegemoet. Waarop de kapitein de chauffeur zo'n vuistslag op de kin geeft, dat die opnieuw knock-out gaat.

— We hebben hem gevonden! komt Han juichend het kantoortje van de nachtwaker van de Transrapid binnen, we hebben de rechterhand van oom Neppie gevonden!
— Moppie hier! horen we de nachtwaker buiten roepen.
— Wie is Moppie? vraag ik.
— Dat is de hond van Frits, antwoordt Han.
— Heeft hij een hond? vraag ik verbaasd.
— Natuurlijk heeft Frits een hond, zegt de kapitein, wie heeft er ooit van een nachtwaker zonder hond gehoord?

Ik kan hier diverse even valide antwoorden op geven, maar in plaats daarvan ga ik naar buiten toe. Daar zie ik Frits gebukt voorover staan, terwijl een klein zwart-wit gevlekt hondje voor hem kwispelend heen en weer danst met – het kan niet anders – de hand van oom Neppie in zijn bek.

Achter me hoor ik hoe de kapitein verwoed het kantoortje van Frits doorzoekt.

— Waar is die bliksemse Ductape gebleven?!

* * *

Als we vroeg in de ochtend de haven van Lathen verlaten, staat de beige taxi naast de roestige tractor op het haventerrein. In de taxi slaapt de chauffeur zijn roes uit. De kapitein heeft een briefje op het dashboard neergelegd en in de binnenzak van het colbert van de chauffeur € 300 gestopt.

Er hangt nog steeds een laagje mist over de rivier als ik voorbij het dorpje Steinbild in een bocht van de Eems koeien zie grazen in het bos langs de oever. Behoedzaam drentelen de logge beesten tussen de dennenbomen door, op zoek naar gras. Nooit eerder heb ik zoiets gezien en staar verwonderd naar de runderen, die zelfs in het dennenbos voldoende voeding weten te vinden om daar met volle uiers rond te lopen.

Dan gaat de iPhone van Han.

— Het is goed gegaan, zegt hij in zijn toestel.

Han vertelt aan tante Carola dat het gelukt is met de tweede wens van het lijstje van oom Neppie. Alles is gefilmd, ook die wens kan worden geschrapt en inmiddels zijn we onderweg naar Nederland voor het laatste punt op de lijst.

Over de afgesneden hand rept hij met geen woord. Is ook niet nodig. Oom Neppie zit weer in zijn hoekje van de bank achter in de stuurcabine van de rijnaak. Om zijn nek zit nu een nog grotere kraag van Ductape, alsook om zijn rechterpols. Die zullen we later opnieuw moeten vastzetten, want de rechterduim van oom Neppie steekt iets te onnatuurlijk naar beneden.

— ...
— Geen paniek, zegt Han.
— ...
— Natuurlijk, zegt Han.
— ...
— Dat snap ik, zegt Han.

Ik word er moedeloos van. Met de oude vertrouwde telefoon thuis was dat vroeger al zo, maar dankzij die vervloekte mobieltjes en smartphones is het tegenwoordig altijd raak. Als argeloze buitenstaander hoor ik overal slechts de helft van het gesprek, zodat ik geen idee heb waar het over gaat en toch extra mijn best doe om het allemaal mee te krijgen, ook al gaat het hele gesprek me geen biet aan. Het kan me eigenlijk niet boeien maar toch wil ik het weten. Alsof ik naar een in het Pools nagesynchroniseerde Chinese film kijk.

— ...
— Wat zegt u nu? vraagt Han.
— ...
— Meent u dat? vraagt Han.

In dit geval gaat het me natuurlijk wel iets aan. Het is tante Carola aan de andere kant van de verbinding, het zal vast over oom Neppie gaan en zodoende ben ook ik erbij betrokken.

— Wat? vraag ik aan Han, wat zegt ze?

Gisteravond in de O2 Arena in Hamburg scheet tante Carola blijkbaar zeven kleuren stront alvorens ze op het podium werd verwacht. Ik kan me dat goed voorstellen, als het publiek op zo'n avond rond de 40.000 mensen omvat. Udo Lindenberg praatte op haar in als Brugman en trachtte haar het nodige zelfvertrouwen te geven.

— Wat zegt ze nu?
— Ze weet dat wij tweeën van haar operatie weten, zegt Han.
— O?

Raar is dat, maar ik voel me betrapt. Net als vroeger toen ik nog op kamers woonde in de Oosterpoort in Groningen. Als ik dan zomers rond het middaguur mijn gordijnen opendeed, zag ik vaak mijn achterbuurvrouw topless in haar tuin zonnen. Maar voordat ik stiekem een uitgebreide blik kon werpen op haar borsten, groette ze me telkens weer zo uitbundig dat ik beschaamd een paar stappen achteruit deed.

— Wat heeft dat ermee te maken? herpak ik mezelf.
— Ze is blij dat wij haar gewoon nemen voor de vrouw die ze is.
— Maar dan niet in overdrachtelijke zin, grinnik ik.
— *No way*, grinnikt Han.

Dan is het stil.

— Wat zegt ze? vraag ik weer.
— Ze vraagt wat wij zeggen, zegt Han.
— Zeg haar dat we niets zeggen, zeg ik.
— Dat kan ik haar toch niet zeggen.
— Wat wil je haar dan wel zeggen?

Han kijkt me peinzend aan.

— Bill heeft last van een splinter in zijn duim, zegt hij dan in zijn iPhone.

Dat is natuurlijk beter om te zeggen. Ik steek de betreffende duim op.

— O, zegt Han.

Gisteravond vreesde tante Carola dat het publiek ongetwijfeld de link zou leggen tussen haar verleden en haar hedendaagse verschijning als keurige muzieklerares in een kokerrok. Ook al zou dat louter op basis van haar achternaam zijn die in al die jaren nooit veranderd is, zelfs niet na de bruiloft met oom Neppie. Wat zou het publiek ervan vinden? Zou ze triomferen of worden weggehoond?

— Dat hoort er toch niet toe te doen, zegt Han in zijn mobiel.
— Absoluut niet, schud ik met mijn hoofd.

Maar het maakt allemaal niet meer uit wat wij ervan vinden. Uiteindelijk heeft tante Carola het niet aangedurfd. Gisteravond heeft ze verstek laten gaan. Ze heeft het podium van de O2 Arena in Hamburg niet betreden.

— Och, zegt Han.
— Komt ze nou terug? wil ik weten.

Han ook. Maar het blijkt van niet. Vanavond wil tante Carola het nog een keer proberen in Hamburg. Udo heeft een idee. Misschien dat het helpt.
Als de verbinding verbroken is kijkt Han me fronsend aan.

— Had jij gedacht dat zo'n operatie er zo in zou hakken?
— Natuurlijk wel, zeg ik, maar aan de andere kant…
— Wat is er?

Zwijgend kijk ik ineens voor me uit.

— Wat is er? vraagt Han nogmaals, wat is er aan de andere kant?
— De bobine levert de nodige hoogspanning om een bougie te laten vonken, hoor ik mezelf zeggen.

Han staart mij verbaasd aan. Glimlachend haal ik mijn schouders op en ga naast oom Neppie op de bank zitten. Even kijk ik hem aan. Zo ziet hij er niet uit. Ik zet hem de zonnebril op en direct is het weer een ander gezicht. Opnieuw is oom Neppie het mannetje.

* * *

De Böllingerfähr is net zo'n sluis in de Eems als die van Hilter. Twee sluisgangen, de ene opgetuigd met bolders en in de sluiswallen gefreesde ladders, bestemd voor het vrachtverkeer zoals rijnaken als de Herz en binnenvaarttankers die brandstoffen over de rivier vervoeren, terwijl de andere meer iets heeft van een knullige jachthaven, met houten stokken die her en der als meerpalen uit het water steken.
De scheepsmaat heeft op de voorplecht van de Herz een tros om een van de bolders gelegd. Hij rent naar ons toe, als hij ziet hoe wij staan te klooien met het achterste meertouw.

— Losjes vastbinden, zegt Hubert.
— Waarom? vraag ik.
— De tros moet steeds voldoende speling houden, aangezien het schip zo meteen geschud wordt in de sluis.
— Moeten wij het schudden? vraagt Han verbaasd.

Hoofdschuddend kijkt de scheepsmaat ons aan.

— Het waterpeil zakt stroomafwaarts, zegt hij, dus elk moment nu zal het water in deze sluis gaan zakken en daarmee de boot ook.
— Natuurlijk, zeg ik.

— Vanzelfsprekend, zegt Han.
— Eigenlijk wisten we dit al, zeg ik.
— We zijn niet gek, zegt Han.

Intussen spiedt Captain Liefie als een alles in zich opzuigende malloot om zich heen, naar de lange populieren om de sluis waarvan de rode bladeren loslaten en naar beneden dwarrelen, naar het natte, lange gras op de weides langs de sluiswallen, naar de donkere wolken die hoog boven het woud om ons heen schichtig voorbij drijven, zelfs naar het kil aandoende huis halverwege de sluis, dat ooit een gezin herbergde, maar nu alleen nog maar blinde muren heeft, aan alle zijden. De ogen van de kapitein staan groot en haastig, alsof hij dit allemaal voor het eerst in zijn leven ziet. Wat onmogelijk is. Hij heeft me immers net nog zelf verteld dat hij deze waterweg tweemaal per week met de Herz bevaart. Al jarenlang.

— Ik kan nog steeds amper geloven dat tante Carola in de band van Udo Lindenberg zit, zegt Han.
— Dat is inderdaad vreemd, zeg ik.

De Herz zakt intussen steeds dieper weg in de sluis, waar het water naar de noordelijke sluispoort toe wordt gezogen, om aan de andere kant in het lager gelegen deel van de Eems te vallen.

— Wat weet je nog meer niet van je tante?
— Ik weet in elk geval dat ze uit Duitsland komt, zegt Han.
— Check, zeg ik.
— Oorspronkelijk komt ze uit deze omgeving, zegt Han, hier ergens uit het Emsland.
— Check, zeg ik.
— Oom Neppie heeft haar leren kennen toen hij in Duitsland optrad, zegt Han.

— Check.
— Ik wist natuurlijk wel dat ze muziek kon spelen, zegt Han, want in Delfzijl verdient ze bij als muzieklerares.
— Check.
— Oom Neppie en tante Carola zijn een jaar geleden in Delfzijl gaan wonen, toen mijn oom klaar was met de muziek en met pensioen ging.
— Check.
— Vooral omdat tante Carola graag ergens anders opnieuw wilde beginnen.
— Check.
— En op de verjaardagsfeesten in de familie van het afgelopen jaar hebben we het dus nooit – maar dan ook nooit – over wat oom Neppie en tante Carola vroeger allemaal in Duitsland hebben uitgespookt.
— Jullie hebben het dan zeker vooral over de kinderen en de volgende generaties, opper ik.

Zo gaat dat er in elk geval aan toe op de feesten van de familie van mijn vrouw. Haar familieleden kleppen alleen maar over de kinderen. En ze kijken mij en Aisha dan steevast wrevelig aan, aangezien wij bewust kinderloos zijn gebleven.

— Natuurlijk, zegt Han, maar zelfs als we hen er specifiek naar vroegen, glimlachten oom Neppie en tante Carola alleen maar vriendelijk. Verder zwegen ze als het graf.

Vanaf waar we staan aan de sluiswal – met de achtertros die ik steeds meer laat veren naarmate de Herz dieper zakt – zien we oom Neppie zitten in zijn hoekje op de bank achter in de stuurhut, met zijn zonnebril op. Ik aarzel om 'check' te zeggen.

— Godallemachtig! roept Han uit.
— Wat? Wat is er?

Han wijst naar de Herz die nu wel erg diep in de sluisgang ligt. Nooit gedacht dat het zo snel kan gaan, maar binnen de paar minuten die we hier op de sluiswal staan, is de rijnaak al zeker anderhalve meter gezakt. Han haast zich langs een ladder in de sluiswal naar beneden, neemt de achtertros van mij aan en legt die over een van de vele bolders in de sluiswal, waarna ook ik naar beneden klim.

— Jullie zijn net op tijd, glimlacht de kapitein.

De sluisdeur schuift open en voor ons kronkelt de rivier verder door een laag veengebied, met amper meer bomen langs de oevers.

* * *

Op de een of andere manier is het comfortabel om naast de dode oom van Han te vertoeven op de bank achter in de stuurhut. Zwijgend zitten we naast elkaar. Oom Neppie heeft er natuurlijk zo zijn redenen voor, maar voor mij werkt het ook. Het is net alsof ik volledig leegstroom, zoals ik me ook voel wanneer ik op maandagmiddag baantjes trek in het zwembad. Heen en weer, steeds maar weer heen en weer. Aanvankelijk rollen mijn gedachten dan door elkaar heen, maar telkens wanneer ik de overkant van het bad aantik wordt het iets stiller. Stiller en stiller.

Net als het gegrom van de zware dieselmotoren onder de stuurhut. Ik hoor ze nauwelijks meer.

Misschien ben ik nu – op dit moment – één aan het worden met wie ik ben, hier op de Herz, stroomafwaarts varend op de bruine rivier, op de bank naast de oom van Han, met verder alleen nog de kapitein.

Die plotseling zo gaat verzitten achter het stuurwiel, dat zijn forse bleke billen bijna uit zijn broek lijken te springen.

— En bedankt, zucht ik.

Daar gaat mijn meditatieve moment.

Dan zie ik iets uit de kontzak van de broek van de kapitein vallen. Ik sta op van de bank, loop naar de kapitein toe, kniel neer en pak het op. Het is een pasfoto. Er staat een mooie vrouw op. Ik schat dat ze 40 jaar oud is. Ze heeft lang, sluik, kastanjebruin haar, een lange neus met een klein puntje op het einde, walletjes onder haar zachte ogen en een glimlach alsof ze de meest tevreden mens op aarde is.

— U hebt dit laten vallen, zeg ik tegen de kapitein.
— Ach, glimlacht hij, dat is Susie.
— Susie?
— Ik kan Susie nooit echt laten vallen.
— Dat is niet de moeder van uw kinderen?

Ik zie het natuurlijk zelf ook wel. Toch vraag ik het.

— Absoluut niet, zegt de kapitein, de moeder van mijn kinderen is een fenomenaal kutwijf, dat ik het liefst strak vastgebonden aan een paar hunebedstenen overboord zou gooien in de Noordzee.
— Wow, reageer ik geschrokken.

Ik weet dat voormalige geliefden nadien soms een bloedhekel aan elkaar kunnen krijgen, maar dit lijkt me van een andere orde.

— Maar Susie, glimlacht de kapitein, Susie is mijn hart.

* * *

De hele middag liggen we aan een vrachtkade van de rivier. Er is iets mis met de silo. Het uitgaande luik wil niet open. Het zit muurvast.
Er moet een onderhoudsmonteur uit Emden aan te pas

komen, maar die verschijnt pas aan het einde van de middag, uren nadat de havenmeester de eerste melding heeft gemaakt. Helaas weet ook de onderhoudsmonteur er geen enkele beweging in te krijgen.

— Die zit muurvast, luidt zijn constatering.
— Wat doen we nu? vraagt de havenmeester.
— Ik piep mijn back-up op.

Die is er stukken sneller dan de onderhoudsmonteur, maar krijgt het ook niet voor elkaar.

— Wat doen we nou? vraagt de havenmeester vertwijfeld.
— Ik piep mijn back-up op, stelt de back-up van de onderhoudsmonteur voor.
— Het is wat met die back-ups, fluistert Han tegen me.
— Gelukkig maar dat ze elkaars telefoonnummers hebben, fluister ik terug.

Maar de kapitein heeft er genoeg van. Hij haalt de machinekamer van de Herz overhoop en als hij 'm dan eindelijk gevonden heeft, duikt hij met een enorme klauwhamer de silo in. Van buiten horen we hem vloekend en tierend tekeergaan.

— Dit valt buiten het reglement, waarschuwt de onderhoudsmonteur de havenmeester.
— Procedureel heeft u zo geen recht meer op een service- en/of onderhoudsback-up, zegt de back-up van de onderhoudsmonteur.
— Er bevindt zich buitengewoon fijnmazige elektronica in de silo, stelt de onderhoudsmonteur.
— Als u dit toestaat, waarschuwt de back-up van de onderhoudsmonteur, zal dit niet zonder sancties blijven.
— Het is Captain Liefie, lacht de havenmeester, laat hem maar. In hem heb ik tenminste vertrouwen.

Dan kijkt de havenmeester de onderhoudsmonteur en de back-up van de onderhoudsmonteur fronsend aan.

— Kennen jullie dat überhaupt nog: vertrouwen? vraagt de havenmeester aan die twee.
— Daarover staat niets in het procedurehandboek, zegt de back-up van de onderhoudsmonteur zonder blikken of blozen.

Het gaat met donderend geweld maar binnen vijf minuten heeft de kapitein het uitgaande luik van de silo los. En een halfuur later is het laatste compartiment van de laadruimte van de Herz tot de rand toe met graan gevuld.

— Driemaal raden wie het stof in de gangboorden weer mag opruimen, zucht de scheepsmaat.

* * *

— Wie is Susie? vraag ik aan Hubert.

De scheepsmaat schrobt de linkergangboord langs de laadruimte schoon. Daartoe vult hij steeds weer een emmer in de rivier onder ons. Maar hij zegt niets. Het enige wat hij loslaat is een gnuif.

— Susie, zeg ik, ken jij die?

Hubert poetst het laatste graan in de gangboord weg met de schrobber, legt die vervolgens neer, draait een shagje en kijkt mij aan.

— Heeft die ouwe het met jou over Susie gehad? vraagt hij.
— Nee, zeg ik, ik weet alleen maar dat hij haar zijn hart noemt.

Opnieuw gnuift Hubert.

— Ik weet niet of ik haar zijn hart zou willen noemen, zegt
hij.

Hij gaat op het dek van de laadruimte zitten, boven het middelste compartiment, met zijn benen bungelend in de gangboord. Mij gebaart hij hetzelfde te doen.

— Vroeger was de kapitein een onbekommerde klootzak
die zich aan niets of niemand iets gelegen liet liggen,
zegt de scheepsmaat, voor elk wissewasje schold hij mij
de huid vol, maar ik wist in elk geval wat ik aan hem
had.
— Goh, reageer ik.

Het verbaast me niet echt.

— Dat veranderde allemaal toen Susie in zijn leven kwam.

Twee jaar geleden kreeg de kapitein verschrikkelijke kiespijn.
Het ging hem door merg en been. En dan moest hij ook nog
eens dagelijks het werk verrichten boven ronkende dieselmotoren. De kapitein slikte hele buisjes paracetamol.
Hielp niet. Hij smeerde er dan maar kruidnagelolie op, zoals
scheepslieden vanouds plachten te doen.

— Ik heb daar nog nooit van gehoord, zeg ik, helpt dat
echt?

Waarop Hubert zijn gebit ontbloot. Op drie plekken achter
in zijn mond zie ik zwarte gaten, niet in de tanden zelf, maar
omdat ze er niet eens meer zijn.

— Het heeft zijn bijwerkingen, zegt Hubert, maar verder
werkt het perfect.

Bij de meesten dan. In het geval van Captain Liefie was de ontsteking al te ver heen. Hij trok het niet meer, legde aan in de binnenhaven van de stad Leer en stormde de wal op. Bij de eerste de beste tandarts in de *Altstadt* liep hij naar binnen met een blik die moord en doodslag beloofde als de receptioniste hem alleen maar zou zeggen dat hij normaliter eerst toch telefonisch een afspraak diende te maken. De kapitein ging in de tandartsstoel zitten, sperde zijn mond open, trok de tandarts naar zich toe en liet die het roer vanaf dat moment overnemen.

Het was goed mis. Er moest een wortelkanaalbehandeling aan te pas komen.

— Dat heb ik ook eens gehad, zeg ik, maar het viel me alleszins mee. Grotendeels omdat mijn kaak compleet verdoofd was.

De scheepsmaat naast me op het dek van de laadruimte knikt, terwijl de Herz gestaag over het water van de Eems verder vaart. Ik draai me om en zie de kapitein achter het stuurwiel staan. Gefascineerd kijkt hij naar de zon die in het westen in een vage mist langzaam ondergaat. Dan weer even naar de rivier voor hem, en toch zo snel mogelijk weer naar het westen, alsof hij het laatste licht van de dag niet wil missen.

Wat is het toch een rare kerel. Enerzijds minstens zo potig als John Wayne, anderzijds wonderlijk verbaasd als een kind.

— De kapitein liet zich zeker niet verdoven, zeg ik.
— Natuurlijk wel, zegt de scheepsmaat, hij is stoerder dan een baksteen in een aquarium, maar hij is niet gek.

Terwijl er in zijn mond werd geboord, merkte de kapitein de ogen op van de tandartsassistente, die boven haar masker uitstaken. Het waren zachte ogen met daaronder subtiele, verfijnde walletjes.

— Dat was Susie! roep ik uit.
— Klopt, zegt Hubert.

De kapitein bleef sindsdien terugkomen. Daar was ook alle reden toe, want zijn gebit vertoonde op meerdere plekken sporen van achterstallig onderhoud. Elke twee weken werd er op de donderdagmiddag aangemeerd in de binnenhaven van Leer, alleen maar zodat de kapitein naar de tandarts kon gaan. Dan lag hij schuin achterover in de tandartsstoel, liet de tandarts in zijn mond begaan met haak en boor en staarde zelf alleen maar in de ogen van de tandartsassistente.

— Susie begon na een tijdje terug te staren, gaat Hubert verder, net als de kapitein, recht in zijn ogen.
— Maar hij wist verder niet hoe zij eruitzag, merk ik op.
— Klopt, zegt Hubert, vanwege het masker zag de kapitein alleen maar haar ogen.

Op den duur konden ze hun blikken niet meer van elkaar af houden. Steeds vaker moest de tandarts zijn opdrachten herhalen. En als Susie dan – nadat de tandarts zijn werk gedaan had – vervolgens met een haak allerlei plak van zijn tanden probeerde te verwijderen, duwde de kapitein met zijn half- verdoofde tong tegen haar in rubberen handschoenen gesto- ken vingers aan. Waarop ze hem liefdevol aankeek.

— Liefdevol?

Ik trek er een vies gezicht bij.

— Ik weet het, lacht Hubert, ik heb ook een bloedhekel aan dat woor…
— Hubert! klinkt het bars via het luidsprekersysteem op het dek.

Het is de kapitein.

— Ik betaal je niet om te lullen, buldert hij, maar om te poetsen!

Geërgerd staat de scheepsmaat op, draait zich naar de kapitein toe, grijpt zichzelf vol in het kruis alsof hij de kapitein niet erger kan beledigen dan zo, pakt de emmer en gooit die nog eens in het bruisende water langszij.

* * *

Het is al na negenen als we 's avonds de sluis van Herbrun naderen.

— Morgenvroeg om zes uur gaat die weer open, zegt de kapitein.

Hij manoeuvreert de Herz een inham van de rivier in. Er liggen nog twee plezierjachten, in de laatste dagen van oktober, vlak voordat ze voor de winter uit het water moeten worden gehaald.
Langs de inham loopt aan de noordzijde een dijkje, waarop een paar schapen grazen. Aan de andere kant ligt een bos waarvan de bomen inmiddels grotendeels kaal zijn en stakerig afsteken in het schijnsel van de maan, waar wolken haastig voorlangs jagen.

Hubert weigert naar de stuurhut te komen zolang oom Neppie daar nog zit, zodat ik een bord labskous – een stamppot van aardappelen, cornedbeef, rode bieten, uien, augurken en gefileerde haringen, dat de kapitein heeft opgewarmd in de magnetron – naar de scheepsmaat toebreng. Ik neem mijn eigen bord ook mee.

— Waarom? vraagt Han.

Ik zie paniek in zijn ogen.

— Ik ga bij Hubert eten, zeg ik.

Labskous. Op zich klinkt het lekker. Behalve dan die smerige haringen. Halverwege het gangboord van de Herz gooi ik mijn bord leeg in het zwarte water van de inham. Vervolgens klop ik bij Hubert aan.

Om de een of andere reden verwacht ik allemaal naaktfoto's van vrouwen in zijn hut aan te treffen – zoals voorheen in garages als je je auto moest laten repareren – maar dat is niet het geval. Het zijn wel naaktfoto's die de wanden van zijn hut sieren, maar uitsluitend van kerels, elk met een joekel van een erectie.

Lichtelijk bezorgd kijk ik om me heen.

— Geen paniek, lacht Hubert die zijn vork in de labskous steekt, ik val niet op dikkerds zoals jij.
— Ik ben werkelijk moddervet, zeg ik voor alle zekerheid.
— Ik zie het.

Het eten lijkt hem goed te smaken. Zelfs de geprakte stukjes haring. Ondertussen vertelt hij verder over de kapitein en de tandartsassistente. Hoe de kapitein – nadat zijn gebit eenmaal volledig hersteld was – in paniek raakte en een tijdlang alleen nog maar chocolade en plakkerige snoep at zonder daarna zijn tanden te poetsen, alleen maar om opnieuw naar de tandarts te kunnen gaan.

— Hij moet wel erg verliefd zijn geweest, zeg ik.
— Hij is het nog steeds, zegt Hubert.

Vorig jaar was het eindelijk zover. Ook bij de tandartsassistente was de vonk overgeslagen. Tijdens een van de bezoeken bleven ze met z'n tweetjes achter, de kapitein in de tandartsstoel, de tandartsassistente met een venijnig haakje om de laatste bacteriële plekjes tussen de kiezen te verwijderen. Terwijl Susie aan het schrapen was en de kapitein uit zijn mond bloedde, bleven ze elkaar aanstaren. Dieper en dieper. Totdat het niet meer ging.

De assistente legde haar mesje neer en trok haar masker naar beneden.

— Was dat de eerste keer dat de kapitein haar gezicht zag?
— Ik heb begrepen van wel, zegt Hubert.

Eerst kuste Susie de kapitein zacht op de nog bloedende mond, toen zoog ze even aan zijn onderlip en vervolgens zoende ze hem opnieuw, nu met open lippen.

— Dat klinkt behoorlijk gedetailleerd, merk ik op.
— Het zijn lange dagen op het schip voor twee mannen alleen, glimlacht Hubert.

Susie waarschuwde de kapitein van tevoren. Ze was getrouwd en kon haar echtgenoot – een of andere gemeente-ambtenaar – onmogelijk verlaten.

— Waarom eigenlijk niet? vraag ik.
— Later, zegt Hubert die zijn laatste hapje labskous neemt.

Ergens registreerde de kapitein het wel, dat de vrouw van zijn dromen niet vrij was, maar hij was al te ver heen op dat moment. Bij sommige mensen gaat het zo. Door pijnlijke ervaringen uit het verleden bouwen ze een muur om zich heen, waarachter ze zich veilig wanen, zodat ze redelijk goed functioneren in het leven. Totdat er iemand op hun pad komt die hen op de een of andere manier raakt. Soms zijn het een paar woorden, de manier waarop de ander praat...

— Dat ken ik, zeg ik, in mijn jeugd had ik een zwak voor meiden die slissen.
— Ik had iets met jongens die stotteren, lacht Hubert, dat vond ik zo aandoenlijk.

85

De kapitein had het met de ogen van Susie, met de warmte die ze uitstraalden, en dan ook nog eens die walletjes daaronder. Hoe dan ook, elk van tevoren zo ingebakken verzet gaf hij prompt op. Zonder enig voorbehoud stond hij zichzelf toe verliefd te worden.

— Die ouwe werd zelfs überverliefd.

De kapitein had geluk. Het was wederzijds.

— Aanvankelijk was ik er fel tegen gekant, zegt Hubert die intussen een boer laat, ik heb de kapitein er voortdurend op gewezen dat Susie niet vrij is, dat ze met een ander samenwoont, dat ze met die ander…
— Dat is die gemeenteambtenaar, onderbreek ik hem.
— Ja, die, zegt Hubert, daar heeft Susie nota bene zelfs een dochter mee.
— Goh, zeg ik.
— Werkelijk, gaat Hubert verder, ik heb er alles aan gedaan om de kapitein op het rechte pad te houden, maar het was niet meer te stoppen. *Like an accident waiting to happen.* Aan de andere kant moet ik toegeven dat ik nog nooit twee mensen zo volledig in elkaar heb zien opgaan.

Terwijl ik zijn woorden tot me laat doordringen staar ik onwillekeurig naar de blote piemels om me heen. Hubert ziet het en lacht.

— Nou ja, lacht hij, misschien zo nu en dan eens in de darkroom van The Golden Arm op een zaterdagnacht.
— Is dat niet die gayclub bij ons in Groningen? vraag ik.
— Klopt, zegt Hubert, maar daar zie je dat dan weer niet, daar voel je het.

Ze probeerden elkaar zoveel mogelijk te zien, de onbehouwen beer van een kapitein en de mooie Susie, met haar warme ogen en het kastanjebruine haar, zoals ik haar op de pasfoto heb gezien.

De wekelijkse reizen over de Eems plande de kapitein in het vervolg zodanig dat er altijd op de donderdag in de binnenhaven van Leer moest worden overnacht. Susie kwam dan na haar werk langs en bleef tot laat in de avond samen met de kapitein in diens kajuit naast de machinekamer. Tegenover het thuisfront wist ze altijd wel weer een smoes te verzinnen om haar afwezigheid 's avonds te verklaren. Extra werkzaamheden in de praktijk, een of andere cursus die ze moest volgen. Dat soort dingen. Maar 's nachts ging ze altijd weer naar huis. Ze bleef nooit bij de kapitein slapen.

— Was het voor haar misschien een bevlieging? vraag ik.
— Ik kan niet in haar hoofd kijken, zegt Hubert terwijl hij een restje labskous van zijn kin plukt, maar ik heb de stellige indruk van niet.

Ik knik. Zo zal het vast ooit ook eens zijn geweest tussen Aisha en mij, maar ik kan het me nauwelijks meer herinneren. Als je zoals wij al zo lang bij elkaar bent, dan hebben er inmiddels zo veel andere gebeurtenissen plaatsgevonden die je gezamenlijk beleefd hebt, dat die overdreven gevoelens van het begin steeds verder uit het zicht raken.

— Je had ze samen moeten zien, zegt Hubert, allebei tot over de oren verliefd. En de kapitein had ik nog nooit zo meegemaakt. Tegen mij werd hij zelfs vriendelijk en voorkomend. Mild zou ik haast zeggen.
— Mild?
— Nou ja, hij bleef natuurlijk wie hij was, met al zijn nukken en onhebbelijkheden. Maar tegelijkertijd verdwenen de scherpe kanten.

Het komt mij zo voor dat de kapitein daar nog steeds voldoende van heeft maar ik zwijg.

— Tot die noodlottige donderdagavond heb ik nog nooit twee mensen zo gemakkelijk en natuurlijk ineen zien glijden als de kapitein en Susie, zegt Hubert, zoals de wortels van kruipplanten in de mangroves langs de rivier. Als zo'n wortel nog alleen is, lijkt die blind voor zich uit te tasten. Totdat 'ie ineens een andere wortel raakt. Dan grijpen de wortels direct in elkaar, raken ze in elkaar verstrengeld en groeien ze samen verder.

Peinzend kijk ik voor me uit. Ik probeer me het beeld voor te stellen.

— Het rare was: de kapitein had het er steeds over dat het klein was.
— Klein?
— Hij bleef maar zeuren dat een liefde alleen maar groot kan worden als je die klein houdt.

Verbaasd staar ik Hubert aan. Ik begrijp hier werkelijk niets van. Is de kapitein misschien klein geschapen? Dat kan toch niet? Van de weeromstuit kijk ik naar de naaktfoto's om me heen, van al die kerels met een lul om u met een hoofdletter tegen te zeggen.

— Beter een kleine die steigert dan een grote die weigert, zegt Hubert.
— Dat zegt mijn vrouw ook altijd, mompel ik.

Meewarig kijkt Hubert mij aan.

— Ik zei maar wat, zegt hij.
— Ik ook, haast ik mij te zeggen.
— Persoonlijk ga ik uitsluitend voor de grote jongens.

— Dat was mij al duidelijk, zeg ik en ik maak me uit de
voeten.

* * *

— Het is tante Carola, fluistert Han tegen mij.

Daarbij wijst hij op zijn iPhone.

— Wat zegt ze nou?
— Ze huilt, zegt Han.
— Het zal ook wel niet, zucht ik.

Hij luistert nog eens in zijn iPhone.

— Maar ze lacht tegelijkertijd, zegt hij verbaasd, net alsof ze
huilt van blijdschap.

Zo is het ook. Udo Lindenberg heeft de hele middag met haar
doorgebracht. Ze hebben hun oude studentenhuizen in de
Hanzestad bezocht, ze hebben *Kaffee und Kuchen* genuttigd in
een alternatieve konditorei in het Schanzenviertel, ze hebben
uitgewaaid aan de Landungsbrücken bij de Elbe. En – want
zo is Udo ook: altijd een profi – ze heeft op zijn aanraden
vier tabletten valeriaan geslikt, om rustig genoeg te worden,
zodat ze in elk geval aan de tweede show in de Arena mee
kan doen.

— En? vraagt Han in de iPhone, heeft het gewerkt?

Tante Carola kan daar geen eenduidig antwoord op geven.
Natuurlijk werkten de pillen, maar het was vooral de aan-
kondiging van Udo vanavond – vlak voordat zij het podium
op moest – die haar vleugels gaf, de moed van een leeuw, of
van een leeuwin dan.

— Wat dan? vraagt Han, wat zei Udo dan?

Even is het stil en dan verbreekt Han de verbinding.

— Wat zei ze nou? vraag ik geïntrigeerd.
— Ze moet nu opnieuw het podium op, antwoordt Han, iedereen die aan de show meedoet wordt daar nu verwacht voor de grote finale.
— Nu?
— Op dit moment ja.
— In Hamburg?
— In de O2 Arena van Hamburg.

Han en ik kijken elkaar aan. Wat de fuck heeft Udo Lindenberg vanavond nou gezegd op het podium toen hij tante Carola aankondigde?

* * *

Drie uur 's nachts. Ik ben klaarwakker. Als een os ligt Han naast me te ronken in het veel te krappe logeerbed, in elk geval voor twee mastodonten als wij. Ik ben bang dat hij zijn armen straks weer om me heen slaat. Dat deed hij gisternacht ook al. Ik bemerkte het pas toen ik wakker werd. En ik merkte ook dat hij een ochtenderectie had die tegen mijn billen aan tikte. Werkelijk geen pretje, ook al is hij mijn beste vriend.
Het is niet alleen de angst daarvoor en zijn tomeloze gesnurk wat me wakker houdt, ik moet ook nodig pissen. Ik sta op van bed, trek mijn broek aan en loop naar het toilet, tussen onze kajuit en die van de kapitein in. Als ik de deur opentrek zie ik de smalle pot en ik heb er direct de pest over in.

— Dit is geen doen, mopper ik.

Ik klim de bovengelegen stuurhut in waar oom Neppie nog steeds onbewogen in een hoekje van de bank zit.

— Oom Neppie, groet ik hem en loop de stuurhut uit.

Halverwege de rechtergangboord naast de met graan ge-
vulde laadruimte ben ik waar ik zijn wil. Een bleke maan
schijnt door de bomen aan de overkant van deze inham van
de Eems. Daarboven zie ik in de blauwzwarte hemel nog
steeds donkere wolken jachtig voorbij drijven. Maar het
water om de boot vertoont geen rimpel, lijkt niet gedeerd te
worden door de wind die om ons heen blaast. Het is zwart
en spiegelglad.

En dan hoor ik het ineens.

— Ik mis je, Susie… Ik mis je.

Ik kijk om me heen en ontwaar in het duister – helemaal op
de voorplecht – Captain Liefie. Wanneer ik beter kijk, ontdek
ik dat de kapitein daar volledig naakt staat, met zijn rug naar
me toe, de armen naar boven toe gespreid.

— Ik hou nog altijd met heel mijn hart van je, Susie, zegt
   hij.

Er klinkt een snik in zijn stem.

— Hoe kan ik ook anders, weent de kapitein zachtjes, als
   ik na al die jaren nu pas begrijp dat ik speciaal voor jou
   gemaakt ben.

Ik kijk goed om me heen. Is het mogelijk dat die Susie hier
nu in de buurt is? Misschien aan wal? Misschien zelfs op het
schip? Of spreekt hij wellicht in een mobieltje? Maar hoe ik
de situatie ook observeer, zij is in geen velden of wegen te
bekennen. Zij is niet hier. En een mobieltje, nee, dat is het
ook niet.
Het is koud buiten en toch staat de kapitein daar nog steeds

– totaal naakt – met open armen, krachtig en kolossaal, en tegelijkertijd…

> — Ik mis je, liefie, hoor ik hem schreien, ik mis je elke dag, ik mis je elke nacht, ik mis je warme ogen, ik mis je warme lijf tegen het mijne aan, ik mis je handen, zoals je mijn hoofd vasthield, ik mis je…

Voorzichtig sluip ik weg.

> — Je kapitein mist je, Susie, hoor ik hem nog zeggen, je kapitein *vermisst dich sehr*.

Geruisloos ga ik de stuurcabine binnen. Ik moet nog steeds pissen, pak de jerrycan die de kapitein daarvoor gebruikt tijdens het varen en draai de brede dop los.

Ook al heb ik met de kapitein te doen, ik ben moe en wil nu slapen. Maar ik heb geen zin in het smalle logeerbed en Han die daar nog steeds in ligt te snurken. Ik bedenk me niet langer en ga liggen op de bank achter in de stuurhut, met mijn hoofd op een kussen waar iemand ooit 'La Paloma' op geborduurd heeft. Mijn voeten leg ik op de schoot van oom Neppie. Je kan van hem zeggen wat je wil, maar hij snurkt niet. Of in elk geval niet meer.

Als de kapitein even later de stuurhut betreedt doe ik alsof ik in een diepe slaap verkeer.

* * *

Ik hoor *swis* geluiden. Dubbele *swis* geluiden. De ene keer kort en krachtig: *swis*. De andere keer langgerekt en hoger van toon: *suuuuwisssssss*. Het doet me ergens aan denken, maar ik weet niet aan wat. Aan seks misschien?

Net als de meeste mannen denk ik sowieso vaak aan seks als ik wakker word. Niet zozeer aan seks met mijn vrouw. Voor Aisha is seks al jaren geen prioriteit meer. Maar dat maakt niet uit. Ik denk immers ook niet echt aan goede seks, maar juist aan bloedgeile seks. Zoals seks met de buurvrouw. Daar krijg ik het warm van. Of aan seks met de overbuurvrouw. Daar krijg ik het ook al warm van. Of aan seks met de kantinejuffrouw op kantoor.

— Of mijn tante uit Marokko.

Kijk, dat zegt Aisha dan altijd als zij merkt dat ik 's ochtends naast haar in bed stiekem in mijn kruis friemel. Nou, dan is de lol er voor mij direct vanaf, dan is de magie verbroken. Dan is het tijd om op te staan.

— Zet je ook een kop koffie voor mij? vraagt Aisha dan.

Natuurlijk doe ik dat voor mijn vrouw, die zich ondertussen weer omdraait in de dekens, in de warmte van ons bed, met haar prachtige kont naar me toe.
Werkelijk jammer dat we tegenwoordig nog hooguit twee keer per jaar seks hebben.

— *Swis!*
— *Suuuuwisssssss!*

Gelukkig is het vandaag blijkbaar weer zo'n dag. Ik voel haar hand om mijn penis. Dat is lang geleden. Aisha heeft er blijkbaar zin in. Fijn.

— *Swis!*

Ik glimlach. Wat een mazzel! Ik wist niet eens dat het vandaag Tweede Kerstdag is. Wat een...

— *Suuuuwisssssss!*

Dan hoor ik een knal van jewelste. Op het raam.

— Wat de fuck! roep ik uit.

Ik open mijn ogen en schrik me rot. Het is niet Aisha die haar hand om mijn lul heeft, maar oom Neppie. Hij kijkt me daarbij ook nog eens wezenloos grijnzend aan vanachter zijn zonnebril.
Snel sla ik zijn hand uit mijn kruis weg. Tot mijn afgrijzen flikkert zijn hand op de grond.

— O nee! roep ik uit.

Dan kijk ik nog eens beter en zie dat het de al op de Transrapid afgesneden rechterhand betreft. Ondertussen bungelt de arm van oom Neppie luguber boven mijn kruis.
Ik spring op van de bank, maar glijd dan uit over de rechterhand die op de vloer ligt en waarvan de vingers tussen mijn tenen lijken te graaien. Ik val. Wild zwaai ik om me heen, naar iets om me aan vast te houden.

— Hebbes!

Het is de jerrycan met de brede dop. Die een of andere gek er vannacht vergeten heeft op vast te draaien. In mijn val sleur ik de jerrycan mee, en ja hoor, ook de inhoud daarvan komt nog eens over me heen.

— *Suuuuwisssssss!*

Opnieuw knalt er iets met een ongelofelijke kracht tegen het raam van de stuurhut.

— Wat de!!!

Het blijkt een sinaasappel te zijn. Eentje uit het krat dat de hele tijd naast het aanrecht stond.

— *Swis!*
— *Suuuuwisssssss!*

Ik zie opnieuw zo'n sinaasappel op de stuurhut afkomen, maar deze vliegt eroverheen en plonst in het rimpelloze water van de inham van de Eems.

Pal voor de stuurhut staat Hubert, die een helm draagt zoals een keeper van een hockeyteam. Steeds weer prikt hij een fotokopie van de sexy blondine – niet Susie maar de voormalige echtgenote van de kapitein, de moeder van zijn kinderen – met een naald vast op een sinaasappel en gooit deze dan in de richting van de kapitein, die verderop op het dek met ontbloot bovenlijf – maar vanochtend gelukkig wel met een spijkerbroek aan – met een vuurrode honkbalknuppel verwoestend uithaalt.

— *Swis!*

Dat is het geluid als de kapitein naar zo'n sinaasappel zwaait met zijn honkbalknuppel.

— *Suuuuwisssssss!*

Dat is het geluid van zo'n beursgeslagen sinaasappel die over het dek vliegt, om z'n einde te vinden ofwel tegen de ruit van de stuurhut ofwel in het water van de rivier. Sommige sinaasappels blijven nog even drijven, maar de meeste zinken naar de bodem.

Voorzichtig stap ik de stuurhut uit.

— Goedemorgen, zegt Hubert.
— Goedemorgen, knik ik.
— Lekker wakker geworden? grijnst de kapitein die opnieuw een sinaasappel naar de filistijnen knalt.

Ik kan het projectiel maar net ontwijken.

— Wat ik nodig heb, zeg ik pissig, is een douche en een schoon T-shirt.

De kapitein en zijn scheepsmaat knikken instemmend.

— Maar eerst wil ik een sigaret en een bak koffie.

Hubert wijst met zijn hand naar een thermoskan verse koffie op het dek met een lege mok ernaast.

— O ja, zeg ik, en ik heb ook nog Ductape nodig.

* * *

De sluis van Herbrun bij Aschendorf is de laatste in de rivier. Daarna heeft de rivier nog ruim 30 kilometer te gaan voordat het water de open zee bereikt, maar vanaf Herbrun zal de Eems al in het getij zitten.

Het is de grootste sluis tot nu toe, veel groter dan die van Hilter of de Böllingerfähr. Ook anders is de sluisdeur. Bij de eerdere sluizen schuift die opzij, terwijl de sluisdeur van Herbrun omhooggetrokken wordt, zeker 12 meter de lucht in, voordat de schepen eronderdoor de sluisgang in kunnen varen.

Samen met Hubert sta ik op de voorplecht als de sluiswachter ons een sein geeft naar binnen te komen. Behoedzaam vaart de kapitein de sluis in met de Herz, zo'n enorm gevaarte dat hij bijna op de centimeter nauwkeurig weet te manoeuvreren.

Het dwingt respect af. Net zoals de enorme sluisdeur die zo veel meters hoger in de lucht boven ons hangt. Er druppelt water vanaf, maar ook iets anders. Donkerzwart spul, in dikke klonten.

— Van onderen! roept de kapitein door het luidsprekersysteem op het dek.

Wat is er van onderen? Komt daar ook iets vandaan? Een sluisdeur die juist omhooggaat? Benieuwd staar ik vanaf de voorplecht in het water van de sluis, maar ik zie niets.

— Wat de fuck! schreeuw ik het ineens uit.

Ik voel in mijn nek naar iets wat er net in is gevallen, ik grijp het en hou het voor mijn gezicht. Smerige natte modder, die net van de sluisdeur boven ons gevallen is.

— Wanneer je deze sluisdeur passeert moet je altijd naar boven kijken, lacht Hubert, er wil nog wel eens wat rivierslib naar beneden vallen. In ieder geval nooit naar onderen kijken, want hier komt het gevaar van boven. Opletten is het devies.
— Waarom roept de kapitein dan 'van onderen'?
— Weet ik veel, zegt Hubert, ik luister sowieso maar naar de helft van wat hij zegt. Bovendien heb ik zelf ogen om mee te kijken. Jij toch ook?

Beschaamd knik ik en loop terug naar achteren om beneden mijn nek schoon te maken.

* * *

— Vuurtje?
— Graag.

Hubert en ik nemen allebei een trek van onze shag respectievelijk sigaret.

— Jullie zouden moeten ophouden met roken, bromt Han.

— Je hebt me de ogen geopend, lacht Hubert, ik ga direct stoppen.

Evengoed paft hij door. Han wordt intussen in beslag genomen door de grote hoeveelheid foto's van naakte kerels aan de wand van de hut van de scheepsmaat.

— Niet dat het mijn ding is, mompelt Han.
— Weet ik, zeg ik.
— Maar het zijn er zoveel.
— Ja.
— En ze hebben allemaal zo'n grote.
— Valt niet te ontkennen.

Dan herneemt Hubert het woord. Over de noodlottige donderdagavond.

— Waar was ik gebleven?
— Het ging over die donderdagavond, zeg ik.
— En dat het een noodlottige was, zegt Han.
— O ja.

Twee maanden waren de kapitein en Susie bij elkaar, steevast samen op de donderdagavond. Als Susie net aan boord was, dronken ze eerst nog thee met Hubert, maar daarna verdwenen ze met z'n tweetjes naar de kajuit van de kapitein.

— Soms voelde ik mij dan net een echte vader, glimlacht Hubert.

Wat die twee daar benedendeks deden was hun zaak. Meestal gooide Hubert dan een of andere maaltijd in de magnetron en verdween met het bord naar de voorplecht. Op die bewuste donderdagavond wilde hij dat weer zo doen, toen onverwachts een meisje van een jaar of 14 op hoge poten de cabine binnenstormde.

— Waar is mijn moeder?! schreeuwde het kind, ik wil mijn moeder zien! Nu!

Een moment later klommen Susie en de kapitein weer naar boven de stuurhut in. Susies haar was verfomfaaid en haar kleren had ze in de gauwigheid schots en scheef aangetrokken, terwijl de kapitein alleen in zijn onderbroek verscheen.

— Getverderrie, reageert Han bij de gedachte alleen al.
— Precies hetzelfde als wat de dochter van Susie zei, zegt Hubert.

Het meisje liep driftig heen en weer door de stuurhut, terwijl haar moeder haar rok probeerde recht te trekken. De kapitein ging naar beneden om kleren aan te trekken, maar toen hij terugkwam was het al te laat.

— Zo'n lelijke homp vlees als jij komt niet tussen mijn mamma en pappa! krijste het meisje tegen hem, nu niet! Nooit niet!
— Maar je moeder houdt van mij, Sabine, wierp de kapitein tegen.
— Jij hebt helemaal geen recht om me bij mijn naam te noemen, jij gore oude viespeuk!
— Het is waar, Sabine, fluisterde Susie tegen haar dochter, ik hou van…
— Ik wil het niet weten! gilde het meisje het uit, pappa houdt van jou, ik hou van jou, dat is meer dan genoeg. Jij hoort niet bij die lelijke vent.

Het meisje wees met trillende vinger naar de kapitein.

— Jij hoort niet op deze smerige boot, mamma!
— Maar…, probeerde Susie het nog een keer.
— Jij hoort bij ons! Jij hoort bij pappa en bij mij!

Ik kijk Han aan. Ooit had zijn dochter die leeftijd. Hij trekt zijn wenkbrauwen op. Precies wat ik dacht. Er is geen kruid tegen gewassen als dergelijke meisjes zich eenmaal iets in het hoofd hebben gehaald.

De kapitein en Susie mochten niet eens afscheid van elkaar nemen. Sabine wilde het absoluut niet hebben. Ze sleurde haar moeder aan de hand mee van boord af, naar de stationair draaiende auto van haar vader op de kade.

— Vanaf het schip zag ik hoe ze in de auto stapten, zegt Hubert.

De echtgenoot van Susie zat achter het stuur. Hij zei niets. Hij wachtte tot zijn dochter naast hem instapte, wachtte tot zijn vrouw op de achterbank plaatsnam. Hij zei nog steeds niets, maar gaf gas en zo reed de auto weg van de kade.

— Hoe lang is dit geleden? vraagt Han.
— Meer dan een jaar, antwoordt Hubert.

Na lang wikken en wegen besloot Susie toch maar bij haar man en haar dochter te blijven. Dit was immers wel haar gezin, iets dat al zo lang bestond. En hoe moest het anders wel niet met hun dochter verder? Zou die niet het zwaarst worden getroffen door een scheiding?

Nadat Susie de kapitein had gebeld om hem haar besluit mee te delen, wilde hij haar ook hierin respecteren. Zelf zocht hij sindsdien geen enkel contact meer. Weliswaar was het haar besluit, maar het was de kapitein die het effectueerde. Als Susie zo nu en dan nog eens naar de Herz belde, dan weigerde de kapitein zijn mobieltje te beantwoorden.

— Waarom belde Susie hem dan nog? vraag ik.
— Ze maakte zich zorgen, antwoordt Hubert.

Fronsend kijk ik de scheepsmaat aan.

— Ik beantwoordde haar telefoontjes namelijk wel, legt Hubert uit.

Dan dooft hij zijn shagje in de asbak.

— Het rare is, zegt hij, dat de kapitein mij al diverse keren toevertrouwd heeft zich ook nu nog nooit zo rijk te hebben gevoeld.
— Ik begrijp dat niet, zeg ik.
— Ik ook niet, zegt Hubert.

Alleen Han knikt instemmend, lijkt diep in zichzelf te gaan terwijl hij door een patrijspoort naar buiten staart.

— Wow! roept hij ineens.
— Wat is er? schrik ik op.

Hij rent de hut uit. Ik ga hem achterna en eenmaal op de voorplecht ben ook ik met stomheid geslagen. Voor ons doemt een enorm wit cruiseschip op, van maar liefst zes dekken hoog en bijna 100 meter lang. Het ligt in een binnenhaven aan de rivier, met daarachter een gigantische, eveneens witte loods, zo absurd groot dat 'ie zelfs twee cruiseschepen zou kunnen herbergen.

— Dat is het nieuwste schip van de Meijer-werf in Papenburg, lacht Hubert die bij ons komt staan.

Ik heb er wel eens van gehoord, maar het is een fenomenaal gezicht er eentje in het echt te zien.

— Dat zoiets groots in dit vlakke land kan worden gemaakt, zucht Han bewonderend.

Hubert draait zich om en kijkt naar de kapitein die achter op de Herz achter het stuur staat.

— Ja, zegt hij zachtjes.

* * *

— Zie je deze tegel?

Captain Liefie hurkt neer bij een trottoirtegel in de *Altstadt* van Leer, waar we een nieuwe rol Ductape willen kopen. We hebben hiervoor nog voldoende tijd, aangezien de Herz pas aan het einde van de middag bij de graanoverslag in de zeehaven van Emden wordt verwacht.

Leer is een verrassend pittoresk stadje, zo dicht bij Groningen en toch kennen we het nauwelijks. Gewoonlijk is het een plek om voorbij te rijden, over de snelweg, als we ons haasten naar een vakantiehuisje in de duinen van de Deense westkust, naar een hotelletje in Hamburg of naar een camping in het Zweedse merengebied.

— Wat is er met deze tegel? vraag ik aan de kapitein.
— Deze eenvoudige tegel heeft meer van Susie gezien dan ik het afgelopen jaar, zegt de kapitein.

Hij wrijft over de tegel – zoals hij ook over het gras wreef in de haven van Lathen – alsof het een poes is.

— Haar poezelige voetjes hebben deze tegel het afgelopen jaar vast talloze keren beroerd, glimlacht de kapitein.

Poezelige voetjes? Smalend kijk ik Han aan, die ook niet weet of hij de kapitein nu nog serieus moet nemen. Poezelige voetjes? Man o man, de kapitein is toch geen kind meer?! Ik denk het maar ik zeg het natuurlijk niet.

— Dit malle verkeersbord…

De kapitein staat op en grijpt de ijzeren paal van een verkeersbord dat aangeeft dat het hier een voetgangerszone betreft.

— Dit bord kent mijn Susie, ziet mijn Susie dagelijks lopen, gehaast als altijd, tussen het woonhuis en de praktijk, bijna altijd op haar tenen.

Dat zijn dus de tenen van haar poezelige voetjes.

— Soms met boodschappen onderweg naar huis, glimlacht de kapitein, dan weer snel terug naar de supermarkt omdat ze voor de zoveelste keer de melk is vergeten.

Het is net alsof Captain Liefie het verkeersbord troost met zijn grove blauwe vingers die over de paal glijden, terwijl hij zichzelf een traan uit zijn oog veegt. Hij lijkt nauwelijks te beseffen dat Han en ik bij hem staan, laat staan dat hij oog heeft voor het winkelend publiek dat hem hoofdschuddend passeert.

* * *

— Kijk eens naar al die mensen, zegt de kapitein.

Terwijl we in onze koffie roeren kijken Han en ik vanuit een *Konditorei* aan een drukke winkelstraat in Leer naar buiten. We zien er veel mensen lopen met winkeltassen. Sommigen sjokken, anderen lijken gehaast. Jong en oud, sommigen heel oud, een moeder met een blèrend kind, twee mannen in pak met elk een notitieblok onder de arm. Maar ons oog valt vooral op een mooie meid, strak gekleed, met fenomenale borsten.

— Zien jullie haar? vraagt de kapitein.
— Hè, hè, hè, gniffelen we.
— OK, zegt de kapitein, zo kijken mannen gewoonlijk.

We kunnen het niet ontkennen. Mannen zoals wij ontwaren in elke mensenmassa altijd binnen een paar seconden de meest aantrekkelijke vrouw.

— Maar kijk nou eens naar de oude vrouw achter die mooie meid, stelt Captain Liefie voor.

Achter de jonge seksbom loopt een onopmerkelijk oud vrouwtje dat haar boodschappen in een verrijdbaar koffertje achter zich aan zeult.

— Kijk eens goed naar dat oude vrouwtje, zegt de kapitein.

Ik zie niets behalve een oud mensje in een beige winterjas dat een koffertje moeizaam voorttrekt.

— Het is een omaatje, zegt Han.
— Waarschijnlijk wel, zegt de kapitein, maar kijk nou eens naar haar borsten.

Ah! Borsten! Wij mannen kijken altijd graag naar borsten. Tot op een bepaalde leeftijd, natuurlijk. Daarna liever niet meer. Maar dat geldt niet voor die jonge seksbom in de strak zittende coltrui en het leren jasje dat ze open draagt, waardoor haar prachtige borsten geweldig geaccentueerd worden...

— Hè, hè, hè, gniffel ik.
— Hè, hè, hè, gniffelt Han.
— Basta!

De kapitein slaat zo hard op tafel dat onze koffiekopjes rinkelen in hun schotels.

— Jullie kijken verkeerd! roept hij uit.

De serveerster in de *Konditorei* kijkt verschrikt onze kant uit, waarop ik aangeef dat ze niet in paniek hoeft te geraken. Dit is Captain Liefie. Die is nu eenmaal zo.

— Kijk nou eens naar de borsten van dat oude vrouwtje, beveelt hij ons.

Liever niet. Liever kijken we naar de seksbom in de coltrui. Maar goed. We doen wat ons gezegd wordt. We kijken toe.

— Het lijkt mij een enorme boezem, mompel ik.
— Zo is het, zegt de kapitein, haar borsten begonnen zo te groeien na haar eerste kind en zijn in de loop der jaren – 40 jaar verder inmiddels – alleen maar groter en groter geworden.
— Maar goed dat ze nou zo'n winterjas draagt, fluistert Han.
— Waarom?!

Opnieuw slaat de kapitein met de vuist op tafel. Ik weet nog net de koffiekopjes op het tafeltje te houden, maar bij mij ligt de meeste koffie nu in het schoteltje. Ook de serveerster kijkt weer naar ons, maar deze keer haalt ze haar schouders op.

— Waarom moeten wij mensen onszelf steeds zo verstoppen? vraagt de kapitein.

Han en ik staren de kapitein aan.

— Ooit was dat oude vrouwtje net zo jong als die mooie meid in dat strakke truitje, stelt hij, en wellicht net zo aantrekkelijk. Misschien niet voor de hele wereld – wie wil dat buiten een megalomane zielenpiet ook zijn? – maar in elk geval voor een paar mensen in haar omgeving.

Ik zie het oude vrouwtje sleuren met haar boodschappen en

frons mijn wenkbrauwen, terwijl ik koffie uit mijn schoteltje slurp.

— Ooit bracht ze het hoofd op hol van een goede man, gaat de kapitein verder, die inmiddels overleden is, maar gelukkige jaren met haar heeft mogen beleven.
— Hoe weet u dat allemaal? vraagt Han.
— Is zij misschien een tante van u? vraag ik.

Vervolgens lik ik mijn schoteltje schoon.

— Ik heb haar nog nooit eerder gezien, zegt de kapitein, maar ik zie haar wel. Ik zie haar nu. Net zoals ik jullie zie. Net zoals ik iedereen tegenwoordig kan zien. En daarom zie ik ook dat de boezem van dat oude vrouwtje niet altijd zo groot was, hoe haar gezichtshuid ooit strak was, zonder plooien van ouderdom, zonder rimpels, glanzend in de zon. Met volle lippen en het vuur in de ogen. Ik zie de passen die ze maakt, fier en trots, hoe ze haar ene been voor het andere uitwerpt, wanneer ze door de stad flaneert.
— Hebt u het nog steeds over dat oude vrouwtje? vraag ik.
— Ze kan die trolley amper trekken, zegt Han.

Misschien is het ook de herfstwind, die flink door de winkelstraat lijkt te jagen, waar het oude vrouwtje tegenin moet.

— Ik zie haar buik rond en vol als ze acht maanden zwanger is van haar eersteling, raast Captain Liefie voort, ik zie de glimlach op haar gezicht als ze haar dochtertje 's avonds voorleest uit een sprookjesboek. Maar ik zie ook de zorgen in haar ogen als diezelfde dochter jaren later voor het eerst een nacht blijft slapen bij haar vriendje. Ik zie haar in tranen om dat stomme boek dat ze maar niet weg kan leggen. En ik zie haar stilletjes genieten van een cappuccino als ze met haar man voor het eerst op vakantie is in Italië. Ik zie hoe ze stiekem danst in de keuken als haar gezin in de andere kamer uitgezakt op de bank tv kijkt. Ik zie haar op haar nagels bijten als haar derde kleinkind vanwege een hersenvliesontsteking in het ziekenhuis wordt opgenomen. Ik zie haar hand om het knuistje van hetzelfde kind als ze een paar jaar later samen in een autootje door het spookhuis op de kermis rijden. Ik zie haar het uitgieren van de lach met haar beste vriendin op een dansfeest met Tiroolse muziek. En ik zie hoe ze haar man voor het laatst op zijn voorhoofd kust, niet wetend dat hij de avond niet meer zal halen.

Han en ik kijken elkaar verwonderd aan.

— Maar vooral, zegt de kapitein zachtjes, zie ik haar als kind – hoepelen in een uitgestorven straat – laat in de middag – als de andere kinderen al naarbinnen zijn – een meisje dat steeds weer hetzelfde liedje zingt – een hoepel – en de zon die langzaam ondergaat.

Werkelijk, ik zie nog steeds alleen maar het oude vrouwtje in de beige winterjas met het boodschappenkoffertje op wieltjes.

— Zie jij het misschien? vraag ik aan Han.
— Ik zit alleen maar naar dat lekkere wijf met die coltrui te gluren, vertrouwt hij me toe.

* * *

— Ik weet niet wat het is, glimlacht de kapitein, maar sinds Susie zie ik God in alles en alles in de mens.
— Wat bedoelt u? vraag ik.

De kapitein kijkt me aan.

— Ik kan het niet goed uitleggen. Maar als ik naar jou kijk, dan zie ik je achterover liggen, steeds weer dromend van een bestaan in een ver land.

— Hij heeft het over jouw wens om in Australië te leven, tikt Han me aan.

Ik knik. Zou heel goed kunnen.

— Terwijl je hier in je ziel intens tevreden bent.

— Nou ja…

— En jij!

De kapitein wijst naar Han, die van de weeromstuit snel zijn koffiekopje leegdrinkt.

— Ik zie jou 's nachts urenlang wakker liggen, zegt de kapitein, niet omdat je de slaap niet kunt vatten, maar alleen maar om naar je mooie vrouw te staren, die naast je ligt.

Ik kijk Han aan. Is dat zo? Met samengeknepen lippen schudt Han van niet.

— Terwijl ze zachtjes snurkt.

Ik kan me amper voorstellen dat zo'n tenger vrouwtje als Annet snurkt. Maar Han knikt.

— Ja, zucht hij, mijn vrouw snurkt.

Dan zwijgt de kapitein. Even kijkt hij naar buiten, naar de paarse luchten die laag over het stadje drijven, naar de drukte in de stratosfeer omdat alles op aarde opnieuw moet sterven. Een dikke traan maakt zich los uit zijn ooghoek en glijdt over zijn wang.

— Rustig maar, zegt Han.

— Komt wel goed, zeg ik.

Ik aarzel om een troostende hand op zijn kolossale onderarm te leggen.

— Ik ben niet verdrietig, snift de kapitein, ik ben juist blij. Ik ervaar dit alles als een waanzinnig geschenk.

* * *

Wanneer we op de terugweg het treinstation van Leer passeren, blijft de kapitein plotseling als aan de grond genageld staan.

— Wat is er? vraagt Han.

En aan mij vraagt hij fluisterend of we misschien weer een trottoirtegel zijn tegengekomen die een kennis is van Susie.

— Nee, zeg ik, het is Susie zelf.

Ze loopt net het station uit, samen met een kleine, kordate man die een hoed draagt. In werkelijkheid is het haar iets grijzer, minder kastanjebruin dan op de pasfoto, en staart ze dof uit haar ogen.
Totdat ze de kapitein herkent – tien meter voor haar – en er een glimlach op haar gezicht doorbreekt.

— Susie! roept de kapitein.
— Liefie, reageert ze zachtjes.

Direct grijpt de man met de hoed haar hand vast en trekt haar met zich mee. Susie kijkt om naar de kapitein. Haar glimlach verdwijnt, net alsof 'ie in stukken wordt gezaagd, als een horizontale bliksemflits. Als iets dat niet mag. Toch kan ze haar ogen niet van de kapitein afhouden.

De kapitein rent haar achterna, terwijl de kleine kordate man stevig doorloopt en Susie achter zich aan sleurt.

— Ik denk dat het haar echtgenoot is, zegt Han.
— Dat denk ik ook, zeg ik.

Dan draait de echtgenoot zich om, maar zo dat Susie achter hem komt te staan en hij zichzelf tussen haar en de kapitein positioneert. Zijn ogen schieten vuur. Hij blaft tegen de kapitein dat deze moet opsodemieteren. Waarop de kapitein zijn mouwen opstroopt.

— Doe hem niets! roept Susie tegen de kapitein, doe hem niets.
— Maar Susie…
— Alsjeblieft, Liefie! *Ich pflege dich an.*

De kapitein aarzelt, stroopt dan zijn mouwen weer naar beneden.

— Ik smeek je, Liefie, huilt Susie, doe mijn man niets.

De kapitein knikt.

— Noem hem niet langer Liefie, zegt de kordate man tegen Susie, bovendien had ik die zwijnhond gemakkelijk aangekund.

Hij klinkt flink, maar ik betwijfel het.

— Rot op naar je miserabele boot! schreeuwt de kordate man tegen de kapitein.

Die hoort hem zwijgend aan, heeft alleen maar oog voor de huilende vrouw, die nooit echt de zijne was maar het wel had moeten zijn.

De kordate man draait zich om, vervolgt zijn weg en trekt Susie achter zich aan, die nog steeds omkijkt naar de kapitein, met de meest trieste ogen die ik ooit heb gezien.

Dan houdt de kordate man zijn pas in, draait zich opnieuw om en loopt naar de kapitein toe.

— Luister Liefie, zegt hij smalend tegen de kapitein, jij mag dan misschien een paar maal het bed hebben gedeeld met dat wijf van mij, maar ik had haar het eerst. Begrijp je? Ik had haar het eerst! En ik heb haar het laatst! Zo zal het – *lieber Gott im Himmel* – blijven ook!

Fors, viriel, krachtig, alles wat de kapitein gewoonlijk is, nu lijkt er niets meer van over. Zwijgend kijkt hij toe hoe de kordate man zich bij Susie voegt en ze samen verder lopen.

Toch rent de kapitein hen een stukje na.

— Maar ik had Susie het best! schreeuwt hij.

De kordate man haalt zijn schouders op en loopt door. Alleen Susie draait zich nog eens om.

— Je weet dat het waar is, roept de kapitein, ik had jou het beste.

De vrouw met het grijzende haar lijkt zachtjes te knikken. Maar dan rukt de kordate man aan haar hand, zoals aan de riem van een onwillige hond, en trekt haar mee de hoek om.

— Ik had Susie het beste, snikt de kapitein, ik had haar het beste.

* * *

— Wisselen we van plek, Bill?!
— Wat?! roep ik terug.

— Of we van plek wisselen?! schreeuwt Han.

— Wat zeg je?! Ik kan je niet verstaan!

— Vraag Hubert of hij even de boot stopt zodat we van plek kunnen wisselen!

— Harder! roep ik, want ik versta er geen fuck van!

— Wat?! Wat zeg je?!

Ik doe alsof mijn neus bloedt, steek een duim op tegen Han die samen met oom Neppie een paar meter achter de Herz in een sloep van blauw polyester wordt voortgesleept en ga weer de stuurhut in, waar het warm en comfortabel is.

— Jouw neef is er zeker flauw van, zegt Hubert die achter het stuurwiel van de rijnaak staat.

— Het is mijn neef niet, mompel ik, maar mijn vriend.

Hubert grijnst.

— Niet in die zin, zeg ik.

Vanwege het stomme schippersbijgeloof van de scheepsmaat bungelt oom Neppie achter de boot in een sloep. Aangezien Hubert de enige is die momenteel de Herz kan besturen hebben we het ook met zijn regels te doen. Als Hubert zegt dat hij nog niet dood gevonden wil worden met een lijk in de stuurhut, dan is dat zo.

— Han houdt het daarbuiten vast nog wel even vol, zeg ik, maar hoe lang duurt het nog voordat we in de overslaghaven van Emden zijn?

De rivier voor ons wordt breder en slingert in steeds grotere bochten door het vlakke land heen, waar de elementen harder toeslaan dan in het zuidelijker gelegen veen. Langs de oevers zijn er nauwelijks gewassen meer, op een enkel veld met wintertarwe na, alleen maar grasland. Hier maken koeien en schapen de dienst uit. De Eems lijkt – nu Leer alweer ver achter ons ligt – steeds vrijer te worden, wijds en open, los van de beklemmingen van het benauwende land, zodat de rivier zich onbekommerd, speels en zelfs jubelend een weg zoekt naar zee, nu niets haar meer in de weg staat, geen sluizen meer, geen bruggen meer, geen belemmeringen.

— Aangezien we momenteel tegen het tij in varen, zegt Hubert, schat ik dat het nog zeker een uur zal duren voordat we in Emden kunnen aanmeren.
— Dat vindt Han vast geen probleem, zeg ik.

Ik draai me om en steek tweemaal beide handen met uitgestrekte vingers op naar Han. Nog 20 minuten. Ook al ziet hij er ondertussen totaal verkleumd uit, hij glimlacht opgelucht en steekt een duim op. Doe ik ook.
Over een halfuur bedenk ik wel weer een andere smoes. Bovendien: het is zijn oom, niet de mijne.

* * *

Als ik even het stuurwiel vasthoud, wanneer Hubert een nieuwe pot koffie zet, verschijnt opeens het hoofd van de kapitein voor het voorraam van de stuurhut.

— Godallemachtig! schrik ik.

Zijn hoofd is helemaal bebloed, net zo beurs als de sinaasappels die hij vanochtend zelf nog met een honkbalknuppel het water van de inham insloeg.

— Geen paniek, zegt Hubert.

De scheepsmaat neemt het stuurwiel over en kijkt de kapitein strak aan, terwijl die buiten langs het raam naar beneden glijdt. Een bloederige streep blijft op het glas achter.

Een moment later kruipt de kapitein – in blote bast – over de laadruimtes van de rijnaak naar de voorplecht, waar hij de hele tijd al gezeten heeft sinds we de binnenhaven van Leer uitgevaren zijn. Hij sleept zich voort en halverwege doet Captain Liefie wat ik hem al diverse keren eerder deze middag heb zien doen: hij slaat zichzelf met het eigen hoofd op het dek, heft zich weer op en beukt opnieuw met het voorhoofd op het ijzeren laaddek. Bloed spat in de rondte.

— Kent de kapitein dan helemaal geen grenzen? vraag ik beduusd.
— Me dunkt, zegt Hubert, hij is vorig jaar immers tegen de grenzen van de liefde aangelopen.

Ik knik instemmend. En staar naar de kapitein die buiten op het voordek zijn massieve torso nogmaals omhoog duwt totdat zelfs hij niet verder kan. Dan laat hij zich opnieuw vallen, met het voorhoofd recht naar beneden. Alsof hij zichzelf zo buiten bewustzijn wil slaan in de hem omringende poel van bloed.

— Kunnen we echt niets voor hem doen?
— Laat hem maar, zegt Hubert, zo gaat het geregeld het laatste jaar. Ik heb al van alles geprobeerd, maar als die ouwe eenmaal in zo'n bui is, dan helpt niets meer.

Ik wend mijn ogen af en denk aan het dilemma van de echtgenoot van Susie. Vanuit mijn eigen invalshoek. Zou ik in zo'n geval werkelijk nog met mijn vrouw kunnen verdergaan?

— Nee, zeg ik stellig, ik zou het gewoon niet kunnen. Als ik voor Aisha niet langer Nummer Eén ben, dan ben ik liever Nummer Geen! Dan ben ik weg.
— Bravo! lacht Hubert, gesproken als een echte kerel.

Dat sterkt mij in mijn mening.

— Dan hou ik liever de eer aan mezelf, ga ik verder, en stap ik uit mijn huwelijk.
— Mijn idee, zegt Hubert, maar je weet niet hoe die man van Susie in elkaar steekt. Misschien is hij een doodgoeie kerel.
— Zou je denken? vraag ik aan Hubert, zou je denken dat die kordate kerel in werkelijkheid best een sympathieke vent is?

De scheepsmaat knikt, waardoor er een beetje as van zijn shagje afvalt. Hij vangt het niet op maar laat het gerust naar de vloer van de stuurhut dwarrelen.

— Ja, mompelt hij.
— Echt waar?

Dan kijkt hij mij grijnzend aan.

— Nee, natuurlijk niet. Als ik hem was geweest, dan was ik subiet aan de kant gegaan. Dan had ik Susie losgelaten. Dit draait immers om liefde. Die kun je niet afdwingen. En als die er eenmaal is, dan kun je liefde zeker niet bedwingen. Net als de rivier moet liefde te allen tijde haar eigen natuurlijke koers volgen.

Ik kijk naar de Eems waarover we varen, die steeds breder uitwaaiert.

— Dat haar man dat niet gedaan heeft, zegt Hubert, dat hij zich zelfs zo wanhopig aan Susie vastklampt, bewijst maar één ding: namelijk dat hij een slappe lul is.

Onwillekeurig denk ik aan de foto's aan de wand in zijn hut, aan de voorplecht van de Herz.

— Daar hou jij niet van, hè?

— Niet mijn ding, zegt Hubert afgemeten.

Ondertussen heft Captain Liefie nog eenmaal zijn hoofd omhoog en beukt er nog eens mee op het dek. Zijn hele voorhoofd ligt nu open, bloed ligt overal en de kapitein blijft er in liggen.

* * *

Ter hoogte van het haventje van Ditzum aan de linkeroever is de Eems op zijn breedst. Minstens vijfhonderd meter. Gewoonlijk is afstand op water moeilijk in te schatten, maar hier is een enorm stuwwerk in het water opgetrokken, met een brede open doorgang naar zee. Dit is het *Emssperrwerk*, een volledig afsluitbare waterkering. Het bestaat uit een paar torens die uit het water opsteken, die zijn verbonden met grote beweegbare dammen, in het geel en het blauw. De kleuren ervan zijn net zo grotesk als het stuwwerk, dat dit deel van Duitsland moet beschermen tegen de rampzalige gevolgen van springtij, zoals de Deltawerken in Zeeland of de in de jaren zestig op Deltahoogte gebrachte zeedijk van Delfzijl.

Alleen al op basis van mijn afkomst zou ik zeemansbenen moeten hebben, maar ik voel ze niet. In plaats daarvan tril ik. Niet echt vanwege de kou, want het is tamelijk mild op deze herfstdag. Niet echt vanwege het vocht en het schuim dat de wind geregeld langs mijn gezicht blaast. Ook niet zozeer vanwege het water dat ik voorbij de vrije damdoorgang wild zie klotsen, daar waar de rivier zich eindelijk vermengt met de zee.

Ik weet bij god niet waarom ik zo tril, maar ik doe het. Ondertussen hou ik een tros van de voorplecht van de Herz om een gigantische dukdalf vast, zo strak als ik maar kan.

Achter me ligt de kapitein nog steeds buiten bewustzijn op het dek. Met zijn eigen bloed heeft hij de naam van Susie op

116

het dek geschreven. Ondanks de fysieke pijn die hij ongetwijfeld geleden heeft, heeft hij de S zelfs zwierig uitgeschreven. Kalligrafisch totaal verantwoord, zoals Han als grafisch ontwerper het zeker zou kenschetsen.

Die zal trouwens wel pissig op me zijn, maar dat zien we straks wel. Nu wordt hij samen met oom Neppie uit de sloep achter de Herz gehaald door Hubert. Het laatste stukje van Ditzum naar Emden gaat over open zee en de scheepsmaat vertrouwt het niet. De opvarenden van de sloep moeten weer aan boord worden getakeld.

Langs de massieve dukdalven voor het stuwwerk heeft Hubert de Herz stilgelegd en vervolgens heeft hij de sloep tot achter de rijnaak getrokken. Nu hangt de scheepsmaat de hefboom erboven. Ik hoor Han roepen dat de kabels inmiddels aan de sloep zijn bevestigd, waarop Hubert aan de lier begint te draaien om de sloep het water uit te tillen.

— Voorzichtig! roept Han.
— Ik kan deze lier maar op één manier bedienen, bromt Hubert, en dat is zo.
— Voorzichtig! roept Han nogmaals, dit gaat anders niet goed. We hangen nu al scheef!

Vanaf de voorplecht zie ik het ook. Tot nu toe komt alleen de voorpunt van de sloep omhoog.

— *Scheiße*! vloekt Hubert.
— *Scheiße yourself*! schreeuwt Han terug.

De blauwe reddingssloep hangt steeds schever achter de Herz. Als Han zich maar goed kan vasthouden.

— Wacht even! roept Hubert.

De scheepsmaat zet de lier vast en rent naar binnen, de stuurcabine in. Inmiddels steekt het gezicht van Han eindelijk boven de achterplecht uit. In blinde paniek kijkt hij me aan.

— Geen paniek! roep ik hem toe.
— Jij hebt gemakkelijk lullen!
— Ik moet dit ding vasthouden.

Ik wijs op het enorme gevaarte naast de boot en de tros die ik daaromheen gebonden heb.

— Waar is Hubert nou?! schreeuwt Han.
— Weet ik niet! Ik denk dat hij…
— Help me, Bill! Help me hieruit! Ik flikker bijna in het water!

Ja, wat nou te doen? Hubert heeft me net nog zo op het hart gedrukt mijn post onder geen enkel beding te verlaten, maar mijn beste vriend staat op het punt in het water te donderen. Natuurlijk kan hij zwemmen, maar ik zie het water onder mij in allerlei rare stroomversnellingen langs de boot heen schieten. Dat kan niet goed zijn.

Fuck! Dat *is* niet goed.

Ik bedenk me niet langer, laat de tros los en ren over de gangboord naast de laadruimte naar achteren. Als ik daar ben, grijp ik Han direct bij de hand en trek hem uit alle macht het kleine bootje uit, terug aan boord van de veilige Herz.
Net op tijd, want de achterste katrol breekt in tweeën, zodat de achterkant van de sloep terug in het water valt en het bootje verticaal achter de rijnaak komt te hangen.

— *Scheiße*! schreeuwt Hubert die net weer uit de stuurhut komt met een touw in zijn handen.
— Maar Han is gelukkig safe, zeg ik.

Han en ik houden elkaar stevig vast, alsof niets of niemand

ons ooit nog uit elkaar kan halen.

Intussen drijft de Herz gevaarlijk dicht naar een van de omhooggetrokken stuwdammen toe.

— Je had de tros op de voorplecht nooit los mogen laten, volidioot! schreeuwt Hubert naar mij.
— Maar Han…
— Als dit maar goed komt!

Hubert rent de stuurcabine weer in, zet de Herz in zijn achteruit en geeft gas.

— Geen paniek! klinkt plotseling een barse stem.

Verbaasd draaien Han en ik ons om en zien daar de kapitein op de voorplecht staan, in zijn blote bast, met een bebloed voorhoofd. Hij zwaait met de zware tros boven zijn hoofd en met een welgemikte lassoworp gooit hij het touw om de dikke dukdalf, inmiddels meters verderop. In één keer goed. Ongelofelijk! Daarna trekt hij met kleine, korte grepen de boot weer terug naar de dukdalf.

— Wat een kerel, zucht Han.
— Wat een bikkel, zucht ik.

Als de boot eenmaal weer strak tegen de bolder ligt, kijkt de kapitein ons grijnzend aan.

— Zijn jullie tweetjes ook al *schwul*? lacht hij.

Han en ik staan nog steeds dicht – veel te dicht eigenlijk – tegen elkaar aan, omarmen elkaar nog steeds.

— Laat me los, zegt Han.
— Bah, zeg ik.

Gelijktijdig duwen we ons van elkaar af, vegen we onze handen schoon, doen we alsof er geen vuiltje aan de lucht is.

* * *

— Maar goed dat oom Neppie dood is, zegt Han, want dit had hij nooit overleefd.

We knikken instemmend, terwijl we daar staan om wat er nog rest van oom Neppie, nadat de kapitein hem uit het donkere rivierwater opgedoken heeft. Van zijn rechterzij mist oom Neppie een heel stuk, alsof een haai het eruit gebeten heeft.

— Hier komen geen haaien voor, zegt Hubert.
— Maar wat is het dan geweest?
— Vermoedelijk de schroef van de Herz, meent de kapitein, afgaande op de regelmaat van de snee van de wond, zo zonder kartels of rafels.
— Zo zal je oom waarschijnlijk ook zijn rechterbeen zijn kwijtgeraakt, zegt Hubert.
— Dat heb ik nergens meer kunnen vinden, zegt de kapitein terwijl hij zich van top tot teen afdroogt.
— Wat doen we nou? vraagt Han zich af, we hebben nog maar één wens te vervullen.
— In Pieterburen?
— Ja. Maar zo kan het toch niet? Als tante Carola dit op film ziet, dan krijgt ze vast een beroerte. En dan heb ik het nog niet eens over de crematie!

De kapitein wrijft zich over het hoofd. Dan kijkt hij naar zijn hand, die nu ook besmeurd is met bloed.

— Plakkerig spul, mompelt hij.

Hij richt zich tot zijn scheepsmaat.

— Heb jij je duikpak nog, Hubert?

— Natuurlijk.

— Duik jij wel eens? vraag ik Hubert verbaasd.

— Ik heb van mijn leven nog nooit gedoken, grijnst Hubert, maar daarvoor gebruik ik het pak ook niet.

— Waarvoor dan wel?

— Heeft hij altijd aan als hij zaterdagnacht gaat stappen in Groningen, herneemt de kapitein het woord.

Hubert knikt grinnikend.

— Doet er nu niet toe. Luister: je krijgt van mij morgen een nieuw pak in Delfzijl, maar nu wil ik dat van jou gebruiken.

— Mij best, zegt Hubert, zolang het nieuwe pak maar glad is.

— Het zal glad zijn.

— En strak zit.

— Het zal strak zitten.

— Wat hebben we nu nog aan een duikpak? wil Han weten, mijn oom is zijn halve taille kwijt en zijn rechterbeen.

— Wat we nou nodig hebben, zegt de kapitein vastbesloten, is het duikpak van Hubert, een kussen en mijn honkbal-knuppel.

Verwonderd staren we de kapitein aan.

— O ja, lacht deze, en Ductape. Heel veel Ductape.

* * *

Schemer hangt over de Dollard. In de verte zie ik het silhouet van de haven van Delfzijl, met ten oosten daarvan de grote oven van de ALDEL aluminiumfabriek, als een immense drankkruik aan de dijk. Daarachter zakt de zon onder. Nog even kleurt die op, maar dooft dan snel, wordt bleek en verdwijnt, net als de kleuren van de het water omzomende oevers die langzaam maar zeker vergrijzen, hun kenmerkende details verliezen, amorf wachtend op het duister dat er straks zijn lange gewaad overheen vlijen zal.

Achter ons ligt Emden, waar we de Herz in de graanoverslag hebben laten leegzuigen, het ene vrachtcompartiment na het andere. Hubert staat nog steeds beneden in zo'n ruimte en spoelt de wanden en vloeren schoon met water dat aangelengd is met een desinfecterend middel.

— Dat doet Hubert altijd ter voorbereiding op de volgende vracht, zegt de kapitein.

Hij heeft het bloed van zijn voorhoofd verwijderd en zichzelf opgefrist. In een schone trui staat hij achter het stuurwiel, volgt de koers op radar en kompas, de vage computeruitdraaien voor hem boven het stuur, met aantekeningen erbij.

— Droogt Hubert de wanden daarna af? wil ik weten.
— Hoe dan? vraagt de kapitein.
— Weet ik veel, zeg ik, met een theedoek misschien?
— Met een theedoek! buldert de kapitein het uit van het lachen.
— Wat ben je toch een dombo, Bill, bemoeit Han zich er nu ook mee, dat doet Hubert natuurlijk met een zeem.
— Met een zeem!

De kapitein slaat zich op de knie van het lachen. Ik grijns naar Han. Dat is pas stom! Op zo'n groot schip als de Herz beginnen over een zeem.

— Nee, jij dan, schampert Han, met een theedoek... Hoe haal je het in je hoofd!

* * *

Na de rede van Emden te hebben verlaten kruist de Herz de zeemonding van de Eems tot vlak boven de haven van Delfzijl, waarna het schip koers zet naar onze eindbestemming van deze lange dag.

Hubert is klaar met zijn taken en heeft zich teruggetrokken in de privacy van zijn hut. Oom Neppie zit er intussen als nieuw bij. De kapitein heeft zijn taille opgevuld met het kussen waarop 'La Paloma' geborduurd is en het rechterbeen vervangen door zijn honkbalknuppel. Hij heeft alles vervolgens vastgebonden met Ductape, waarna we met z'n allen oom Neppie in het duikpak van Hubert hebben gehesen. Daarbij hebben Han en ik erop gelet niet met onze vingers de groezelige plekken op het pak aan te raken.

Goed, het rechterbeen ziet er dunnetjes uit, terwijl de buik van oom Neppie dikker oogt, maar het duikpak maakt van de oom van Han weer één geheel. Bovendien is het praktisch voor de laatste wens. Verder heeft de kapitein de zonnebril weer op de neus van oom Neppie gezet. En zo ziet ook die er – op zijn vertrouwde plek op de bank achter in de stuurhut – weer fris en fruitig uit.

* * *

— Shit!
— Wat?
— Dan heb ik bereik, moppert Han, dan weer niet.

Hij wijst naar zijn mobiel.

— Dat is toch ook logisch, zeg ik, we zitten hier op volle zee.

Hoe vol je dit gedeelte van de Waddenzee ook maar wilt noemen. We varen boven de dijk van het Groninger land door de Bocht van Watum. Net zijn we de Eemshaven gepasseerd. In het noorden doemt het Duitse toeristeneiland Borkum op, met z'n helverlichte mondaine strandboulevard. En ver voor ons in het duister staat een verlaten lantaarnpaal op de uiterste pier van het oude, amper meer gebruikte garnalenhaventje van Noordpolderzijl.

— Ik kan totaal geen verbinding krijgen.

Pissig legt Han zijn smartphone op tafel.

— We zitten op volle zee, mompel ik.

* * *

Ik drink net zo hard met de kapitein mee. Het ene blikje bier uit de koelkast na het andere. Inmiddels zitten we op vier. Hij vier, ik vier. Han lurkt nog steeds aan zijn eerste.
Ik kan het nu beter hebben dan op mijn twintigste, zoals tijdens het popfestival in Lochem. 30 jaar later is er natuurlijk ook meer Bill, meer lijf dat de alcohol kan verstouwen.

— Hoe zit dat nou eigenlijk met die Susie? vraag ik de kapitein.

Tja, ik vraag het hem gewoon recht op de man af.

— Susie, zucht de kapitein.

Hij bijt op zijn onderlip, trekt een frons over dat kale hoofd van hem en kijkt me met die enorme metaalblauwe ogen van hem aan.

— Het was echt, zegt hij, niet zomaar wat geiligheid.

Daar weet Captain Liefie namelijk alles van. Nadat hij 20 jaar geleden van zijn vrouw was gescheiden, ging hij los. In elk stadje een ander schatje. Dat soort dingen. Neuken wat hij krijgen kon.

— Goh, zeg ik.
— Ik weet wat je bedoelt, zegt de kapitein, ik ben niet echt moeders mooiste, geen pretje om naar te kijken.
— Dat bedoel ik daar niet mee, lieg ik, ik wou alleen maar 'Goh' zeggen.
— Goh?
— Go… Nou ja, ik heb het nu vaak genoeg gezegd.

Talloze blauwtjes nam de kapitein daarbij op de koop toe, maar zo nu en dan lukte het en nam hij iemand mee naar het schip. Puur voor de seks. Geile seks. Kille seks. Verder niets. Maar vaker wel dan niet bleef zo'n vrouw daarna hangen.

— Niet omdat ik er zo goed in ben, zegt de kapitein, want dat ben ik niet. Maar dat is nu eenmaal de pest als je zo lelijk bent als ik. Dan heeft een vrouw gelijk meer verwachtingen als ze eenmaal toehapt. Terwijl ze bij een *pretty boy* diep in haar hart wel begrijpt dat het bij die ene nacht blijven zal.
— Joh, zeg ik.
— Joh?

Ik kijk de kapitein zo strak mogelijk aan. Lukt me niet echt. Ik begin de vier biertjes in mijn lijf te voelen.

— Yep, knik ik dan maar.

De kapitein haalt zijn immense schouders op.

— De dingen die ik moest doen om die vrouwen weer van het schip te krijgen, zucht de kapitein.
— Smeet u ze overboord?
— Ik ben geen barbaar, man!

Ontsteld staart de kapitein me aan.

— Nee, zegt hij, dan schakelde ik Hubert in.

De kapitein grinnikt.

— Als zo'n vrouw zich even later had opgefrist en naar de stuurhut kwam, dan zat ik hier op de bank met Hubert op schoot die aan mijn oorlel sabbelde. In de regel was die aanblik voldoende voor zo'n vrouw om snel haar biezen te pakken.

Captain Liefie drinkt zijn bierblikje leeg, verfrommelt het met zijn hand en werpt het in de donkerblauwe jerrycan.

— Na een jaar ben ik met dat gedoe gestopt, zegt de kapitein, liever bleef ik alleen dan verder te gaan op die heilloze weg.
— Hoe lang bent u eigenlijk alleen geweest?

De kapitein wrijft zich over het hoofd, ik zie hem rekenen.

— 18 jaar, antwoordt hij.

Wat een eeuwigheid! Ik fluit tussen mijn tanden.

— Hey! roept Han.
— Wat is er? draai ik me om.

Terwijl oom Neppie in het duikpak van Hubert naast hem op de bank zit, pielt Han nog steeds met zijn iPhone.

— Ik heb net een filmpje ontvangen van tante Carola, zegt hij.
— Je hebt hier dus wel bereik, stel ik vast.
— Shit, zegt hij, het is weer verdwenen.

— Wat? Het filmpje of het bereik?
— Mijn bereik, zucht Han.

Ik haal mijn schouders op. We zijn op volle zee. Wat verwacht Han dan ook?

— Natuurlijk miste ik de seks, gaat de kapitein intussen verder, maar het emotionele wrakhout waarmee ik in dat ene jaar het bed deelde kon ik missen als kiespijn.
— Was het niet juist vanwege kiespijn dat u Susie ontmoet hebt? vraag ik.

De kapitein kijkt strak voor zich uit in het duister van de Waddenzee.

— Met Susie was alles anders, glimlacht de kapitein, het was net alsof ze mijn ziel binnenwandelde. Alsof alles perfect paste. Alsof alles van tevoren zo bedoeld was. Ken je dat?
— Nee, zeg ik.

De wereld – in elk geval mijn wereld – hangt van toevalligheden aan elkaar. Han en ik kennen elkaar al sinds de kleuterschool, voornamelijk omdat we in dezelfde buurt in Delfzijl opgegroeid zijn. Ook had ik nooit iets met Marokko – ik wist amper waar het lag – maar ik ben wel getrouwd met een Marokkaanse Nederlandse. Voor hetzelfde geld was ik Aisha die ene dag misgelopen en zat ik nu met een struise boerendochter uit Baflo thuis op de bank. En als ik op die ene avond in 1980 geen spacecake had gegeten, was ik nooit in een band terechtgekomen, had ik niet tien jaar lang de muzikant uit kunnen hangen.

Ik ben altijd in situaties gerold, niet omdat ik iets zocht, maar omdat het toevallig op mijn pad kwam. En ik ben vast niet de enige bij wie het zo gaat.

— Werkelijk, zegt de kapitein, Susie en ik waren voor elkaar bestemd.

Ik geloof daar niets van, maar hoe dan ook is het kernwoord 'waren'. In de verleden tijd. Het is immers voorbij. Niks geen liefde voor de eeuwigheid of anders totdat de dood hen scheidt. De affaire kwam aan het licht en Susie besloot bij haar gezin te blijven. Zo is het. Niet anders. Punt uit. Maar dat zeg ik niet.

— Tja.

Dat is dus wat ik zeg.

— Kun je je voorstellen dat zo'n beeldschone vrouw voor zo'n onbehouwen klootzak als ik viel? vraagt de kapitein.
— Ik heb haar vandaag slechts een paar minuten bij het station van Leer gezien, zeg ik.

Dan drink ik mijn bierblikje leeg.

— Als ik eerlijk ben, ga ik verder, zag ik vooral een timide vrouwtje.

Fronsend staart de kapitein in het duister waarin de Herz nog steeds voortjakkert over de Waddenzee.

— Ik kan het niet ontkennen, zegt de kapitein.

Zijn knokkels worden wit.

— Maar bij mij was zij niet zo, zegt de kapitein ineens met stemverheffing.

Als Susie bij hem aan boord kwam op zo'n donderdagavond

in Leer, dan zwaaide ze door de deur naar binnen, dan zwierde ze zijn leven in, gloedvol, prachtig, adembenemend, zelfbewust, geliefd en liefdevol, in al haar glorie. Dan wuifde ze haar lange kastanjebruine haren naar voren en dan weer naar achteren, dan kuste ze haar kapitein vol op de lippen. Dan was zij één met hem zoals hij één met haar was.

— Dan, lacht de beer van een kerel achter het stuurwiel, betoverde ze mijn hart.

Het is een beeld dat ik maar moeilijk kan rijmen met het schuwe vrouwtje dat zich vanmiddag voor het station van Leer door de kordate man liet voorttrekken.

— Fuck, zegt Han.
— Wat nou weer?

Teleurgesteld legt Han zijn smartphone op tafel.

— Ik heb een app nodig om het filmpje van tante Carola op mijn iPhone af te spelen, zegt hij, maar die kan ik nou niet ontvangen.
— Omdat je hier geen bereik hebt?
— Omdat de accu van mijn iPhone leeg is.

Han laat de mededeling volgen door een diepe zucht. Waarop de kapitein zo mogelijk nog dieper zucht. Ondertussen haal ik twee nieuwe biertjes uit de koelkast. Ik flip er eentje open en overhandig die aan de kapitein.

— Ik zie zelf ook wel in dat Susie nu een heel ander iemand is dan de vrouw die ik ken, zegt hij zachtjes.

Uit de vrouwenbladen die de kapitein sinds het einde van zijn affaire met Susie leest, blijkt dat dergelijke driehoeksrelaties in 99% van de gevallen exact zo eindigen als tussen de kapitein en zijn geliefde. De overspelige vrouw kiest er met andere woorden veel vaker wel dan niet voor om bij haar oorspronkelijke partner te blijven.

Soms is het een test om te zien of de vrouw nog steeds zo aantrekkelijk is als in haar jeugd. Soms is het een bevlieging, waarin twee mensen elkaar gedurende een korte periode heel leuk vinden. En soms – heel soms – is er inderdaad echte liefde in het spel. Maar ook die wordt dan in de weg gestaan door een leven dat samen met een ander is opgebouwd, met gedeelde ervaringen en heel vaak toch ook met kinderen.

— Er is dus niets nieuws onder de zon, vat ik het samen.
— Voor mij wel, zegt de kapitein.

Als hij het heeft over zijn plotselinge vermogen mensen gelijktijdig in diverse fasen van hun leven te zien, dan heeft hij een punt. Als hij het heeft over zijn gewoonte leven te zien in levenloze objecten zoals trottoirtegels en verkeersborden, ook dan heeft hij een punt. Weliswaar een stompzinnig punt, maar toch een punt.

Maar waarom kan de kapitein zijn verlies niet nemen? Daar begrijp ik dus niets van. Zou het met zijn idiote gevoel van voorbestemming te maken hebben? Wat dus lariekoek is. Dat is immers een leugen die de mens zichzelf voorhoudt.

Wat hij zou moeten doen…

Wat hij werkelijk zou moeten doen…

— Als u zich een week lang in een bordeel opsluit, stel ik voor, dan komt u er vast als herboren uit.
— Maar de kapitein is dan ook blut, bemoeit Han zich ermee.
— Dat wel, zeg ik, maar is dat niet beter zo?

De kapitein kijkt voor zich uit. In de verte lichten de lantaarns van de haven van Lauwersoog op, in een lange rij alsof ze op ons wachten. Wat ze natuurlijk ook doen. Daar zullen we straks aanmeren voor de laatste nacht op deze boot. In elk geval voor Han en mij. En vooral om de laatste wens van oom Neppie in vervulling te laten gaan.

— Eerlijk gezegd heb ik altijd gedacht dat de liefde aan mij voorbij zou gaan, zegt de kapitein, ik ben nu eenmaal een onbehouwen zeebonk, eraan gewend de dingen te doen zoals ik ze altijd doe.

Han en ik knikken instemmend. Volgens ons is hij dat inderdaad.

— Maar met Susie…, gaat de kapitein verder, ik had nooit gedacht dat liefde zo zou voelen.
— Hoe bedoelt u? vraagt Han.

Typisch Han. Nu ik onderhand wel klaar ben met het gezever van de kapitein, stookt Han het vuurtje opnieuw op.

— Ik had er echt geen idee van dat liefde zo onvoorwaardelijk kan zijn, zegt de kapitein.

Ik heb er mijn buik vol van nu. Of misschien is het toch het bier? Nee, het is dat gezeur over liefde. Getverderrie! Gatsiebah!

— U bent haar kwijt, kapitein! Ze is niet meer bij u.

Han geeft me een tik op mijn rug. Hij vindt dat ik te ver ga.

— Dat weet ik wel, glimlacht de kapitein, maar dat is het mooie. Ik hoef Susie niet eens te zien of te horen of te voelen, om nog steeds zo vol van haar te zijn.

Nou breekt mijn klomp.

— Ik ken u nu een paar dagen, zeg ik, maar het komt mij zo
voor dat u eerder door de hel gaat dan dat er hier werkelijk iets moois aan de gang is.

De kapitein wrijft zo hard over zijn voorhoofd dat de pleister
die Hubert er vanmiddag op geplakt heeft losschiet. De kapitein staart naar de bloedresten op de binnenkant.

— Ook dat hoort erbij, zegt hij, het bitter en het zoet. Soms
tegelijkertijd, dan weer opeenvolgend. Hoe dan ook, het
een komt niet zonder het ander.

Er klinkt berusting door in zijn stem.

— Als u dit allemaal van tevoren had geweten, vraagt Han,
was u het dan ook aangegaan?
— Dan had ik het precies zo gedaan, zegt de kapitein stellig, ik had Susie nooit willen missen in mijn leven.

Hij perst zijn laatste bierblikje plat in zijn vuist, zo hard dat er
een laatste restant bier uitspuit.

— Nooit!!!

En dan manoeuvreert de kapitein behoedzaam – zoals we
hem onderhand ook hebben leren kennen – de Herz de stille
haven van Lauwersoog binnen.

* * *

— Frats?
— Ja.
— Frats?
— Ja, zo heet ik.

132

— Dat is toch geen naam, zeg ik.
— Jazeker is dat een naam, zegt Frats, het is mijn naam.
— Weet u zeker dat u geen Frits heet? vraagt Han aan de pensioengerechtigde nachtwaker uit Pieterburen.
— Zo heet mijn eeneiige tweelingbroer in Duitsland, zegt Frats, maar ik heet Frits.
— Frits?
— Frats, bedoel ik.

Schouderophalend laat hij ons achterin instappen in zijn 2CV Lelijke Eend Bestel, een wagentje dat minstens zo oud is als hijzelf, en uit een tijd stamt waarin auto's niet echt comfortabel waren, zoals de gigantische Espace van Han, maar – ook anders dan de Espace – nog wel met liefde werden ontworpen en een genot waren om naar te kijken. In de laadruimte achter in het bestelautootje ligt oom Neppie al languit op de vloer. Han en ik nemen elk aan weerszijden plaats op de metalen uitsparingen boven de achterwielen.

— Ik had kussentjes voor jullie moeten meenemen van huis, zegt Frats.
— Geeft niet, zeg ik, het is niet zo ver van Lauwersoog naar Pieterburen.
— Bovendien hebben we allebei een dikke reet, lacht Han.
— Klopt, zeg ik.

De nachtwaker kijkt om zich heen, voelt zijn zakken na. Heeft hij alles bij zich? Is hij niets vergeten?

— Ik zou zweren dat u Frits was, zegt Han.
— Daarom zijn we een tweeling, zegt Frats, maar ik ben Frits niet. Ik ben Frats.

Hij sluit de deuren van de laadruimte van de 2CV en gaat voorin – waar de kapitein al zit – achter het stuur zitten. Frats start de motor en reutelend rijden we weg uit de haven van Lauwersoog.

De Marne is een van de mooiste streken van de provincie Groningen. Zelfs in de herfst. De meeste gewassen zijn dan al van het land, opgehaald door de corporaties. Alleen de suikerbieten liggen nog in bergen achter de boerderijen te wachten om verwerkt te worden in de raffinaderij van Hoogkerk, ten westen van de stad. Inmiddels zijn de akkergronden weer omgeploegd voor volgend jaar. De zwarte klei – rijk aan voedingsstoffen en mineralen – glinstert in de slagregens van dit seizoen.

Het land is hier vlak en wordt slechts spaarzaam bewoond, met her en der een boerderij, smalle riviertjes die eerder lijken op een brede sloot en hier Maren worden genoemd. Er heerst een weldadige overvloed aan ruimte. Aan horizon. Aan rust.

In het noorden van De Marne ligt een ketting van stokoude dorpjes onder de hoge zeedijk. De hippies die er in de jaren zeventig naartoe trokken om er bouwvalletjes op te knappen, zijn nu zelf oude mensen geworden. Nog steeds met zwier – gelukkig maar dat ze nog steeds oude hippies zijn en dat ook blijven – maar onderhand zijn ze net zo ingeburgerd als degenen die nooit iets anders hebben gekend dan dit land, die hier zijn geboren. Alles leeft en klit samen rondom de terp, waarop een oude kerk staat, opgetrokken uit net zulke grove klei als de grond, omringd door uitgebloeide kastanjebomen.

Zodra de eerste regens van oktober zich aandienen, zie je hier de spoken van weleer rondlopen, twee oude zusters met een gedeelde paraplu, volledig in het zwart gestoken, keuvelend over het lange, smalle pad naar Leens, met een gekromde boom in de enige bocht in de weg verderop.

   — Welke boom? moppert Han, want we zien er dus werkelijk geen fuck van.

Hij veegt nog eens wat condens weg van het achterraampje van de Lelijke Eend Bestel, maar buiten is er niets te zien.

— Het is half twaalf 's nachts, zeg ik, wat verwacht je dan ook op dit late tijdstip?
— Weet ik veel, zegt Han, maar het zou fijn zijn zo nu en dan weer iets van leven om ons heen te ontwaren.
— Ik zit hier recht tegenover je, man.

We kunnen net elkaars contouren zien, achter in de laadruimte van het bestelautootje, maar meer is het ook niet. En op de bodem tussen ons in ligt oom Neppie.

— Ik ben blij dat deze hele onderneming morgen achter de rug is, zeg ik.
— Ik ook, zegt Han.

Dan is het stil.

— Heb je je filmcamera bij je? vraag ik.
— Natuurlijk.
— Heb je er nieuwe batterijen in gedaan?
— Ja.
— Goed.

Dan is het weer stil achterin. Bij elke bocht die de wagen neemt, schuift een van ons omhoog en de ander naar beneden.

— Wat stond er eigenlijk op dat filmpje van tante Carola? vraag ik aan Han.
— Heb ik nog niet gezien.
— Kunnen we het nou niet bekijken?
— Mijn iPhone ligt nog aan boord.

Niet echt iets voor Han om zijn smartphone te vergeten.

— Ik moest hem nog opladen, zegt Han.

— O ja.

— Trouwens, zegt hij, zodra het laatste concert vanavond in Hamburg is afgelopen komt tante Carola samen met Udo Lindenberg naar Lauwersoog toe.

— Met je Espace?

— Dat mag ik hopen.

Opnieuw is het stil achterin.

— Man o man, zucht Han dan, wat zuipt die Espace een benzine. Heel wat meer dan deze Lelijke Eend.

— Een Lelijke Eend stond er vroeger om bekend erg zuinig te zijn in verbruik, zeg ik, deze rijdt vast nog steeds 1 op 20.

— Bij de Espace is het 20 op 1 denk ik wel eens, zegt Han.

— Wie het breed heeft, laat het breed hangen.

— Ik zeg je nogmaals, Bill, dat ik het door de Espace steeds minder breed heb.

— Zo zie je er anders niet uit, makker.

— Nee? Nou jij dan! Jij bent anders ook niet smal!

— Vetklep!

— Je bent zelf een vetklep!

— Ben ik een vetklep?

— Zegt de ene vetklep tegen de andere: ja.

Dan voelen we hoe de auto remt en horen we dat Frats de motor uitzet. Even later worden de achterdeuren van de 2CV opengemaakt. In het licht van een lantaarnpaal zien we dat we op de plaats van bestemming zijn aangekomen: de zeehondencrèche van Pieterburen.

* * *

— Dit is een huilertje.

Gebiologeerd staren Han en ik door het raam naar het zee-
hondje dat naast een klein bad in een cel ligt te slapen.

— Waarom huilt het niet? vraag ik.
— Het ligt nu toch te slapen, zegt Frats.

Hij haalt zijn schouders op en loopt door, verder naar het
grote bassin in de bezoekershal. Dat bad ligt deels buiten,
deels binnen.

— Je weet toch wel wat een huilertje is? vraagt Han.
— Ik zou verwachten dat het huilt, mompel ik.

Ondertussen zeulen we het lichaam van oom Neppie naar
het bassin, waarin drie zeehonden uitgelaten zwemmen.
Die beesten zijn inmiddels goed hersteld in de crèche. Frats
heeft ze er eerder op de avond al in gezet, nog voor hij ons
viertjes – Han, oom Neppie, de kapitein en ik – met zijn auto
ophaalde in de haven van Lauwersoog.

— Maar goed dat we oom Neppie in het duikpak van Hubert hebben gestoken, zegt de kapitein, want zo ziet jullie tante straks op de film niets van zijn hoofd dat loszit.
— Daar was ze zelf bij, zegt Han, dus dat weet ze al.
— Of van zijn hand, zeg ik, of het missende deel van zijn
  taille. Of zijn verdwenen rechterbeen.

Han kijkt me met grote ogen aan.

— We moeten er echt voor waken dat ze dat nooit te weten
  komt, zegt hij.

Ik knik.

— Het rare met jullie tante is dat…
— Het is mijn tante niet, onderbreek ik de kapitein.

— Hoe dan ook, gaat hij verder, ik kan haar maar tot een paar jaar geleden terugzien.

Han knikt. Zelf vind ik het nog steeds een bizar fenomeen dat de kapitein sinds Susie de mens kan zien in al zijn leeftijden, van jong naar oud, het hele palet. Ik heb er nog nooit eerder van gehoord, van personen met zo'n caleidoscopische blik op de mens.

Ook al ben ik het zelf onderhand grotendeels vergeten, ik begrijp heus wel dat de zintuigen scherper worden zodra iemand echt verliefd wordt. De hemel die ineens blauwer is. Lucht die frisser is. Gras dat weelderiger groeit. Voedsel dat rijker smaakt. Geuren die sterker zijn. Kleuren die voller zijn. Maar van het vermogen een ander mens in een keer in alle verschijningsvormen door de jaren heen te zien, nee, daar heb ik nog nooit van gehoord.

Terwijl de kapitein samen met Frats het bassin in de zeehondencrèche inspecteert, fluistert Han dat tante Carola natuurlijk die operatie heeft ondergaan.

— Het ziet er nu natuurlijk uit, stelt hij, maar per definitie is het niet natuurlijk. Snap je?
— Natuurlijk, sla ik mijzelf met m'n hand voor het hoofd.

* * *

— Opschieten, jongens, zegt Frats.
— We kunnen niet sneller dan dit, mopper ik.

Zo voorzichtig mogelijk laten we oom Neppie in het bassin zakken, waar naast een paar half afgebeten haringen ook de drie zeehonden nu achterover in het water hangen alsof ze op vakantie zijn op Ibiza. Ze zien er grappig uit, met hun grote, ronde, zwarte ogen en hun permanent in hun snuit gebeitelde glimlach. Toch houden ze oom Neppie scherp in de gaten, net als de kapitein die rondom de oom van Han in het bassin zwemt.

— We hebben nog maar tien minuten, zegt Frats, dus we moeten snel zijn.

Dat komt vast goed. We hoeven alleen maar te filmen hoe ook de laatste wens van oom Neppie eindelijk in vervulling gaat. Weliswaar niet zwemmend met dolfijnen voor de kust van Florida, zoals hij het zich bij leven nog had voorgesteld, maar met een paar zeehonden in het bassin van de zeehondencrèche van Pieterburen.

Zwemmend brengt de kapitein het lichaam van oom Neppie naar het midden van het bassin. De drie zeehonden trekken zich intussen terug in een hoek van het bad. Eenmaal in het midden laat de kapitein oom Neppie los, die daar – gekneld in een zwemband – blijft drijven.

De kapitein keert terug naar de zijkant, hijst zichzelf uit het water en gaat naast mij staan, terwijl Han het gebeuren op zijn digitale camera vastlegt.

De zeehonden komen een voor een terug naar het midden, eerst in voorzichtige concentrische bewegingen om oom Neppie heen, dan steeds dichterbij. Nieuwsgierig begint er eentje aan oom Neppie te ruiken, die – nog steeds met zijn zonnebril op – strak voor zich uit kijkt.

— Toch lijkt het alsof jullie oom zich enorm met de zeehonden vermaakt, meent Frats.
— Hij is mijn oom niet, zeg ik.

Lachend kijkt ook de kapitein toe en legt zijn kolossale arm om de schouders van de nachtwaker van de zeehondencrèche.

— Geweldig dat je ons dit laat doen, zegt de kapitein.
— Echte vrienden zoals jij mogen me alles vragen, zegt

Frats, zelfs als dat betekent dat ik midden in de nacht een dooie vent in een bassin met een paar zeehonden moet laten zwemmen.

De andere twee zeehonden ruiken nu ook aan het gezicht van oom Neppie en de eerste – de grootste durfal van het drietal – begint zelfs voorzichtig aan het gezicht van oom Neppie te likken.

— Och, zeg ik ontroerd, wat schattig.

Ik draai me om naar Han.

— Heb je dat op camera? vraag ik.
— Natuurlijk, lacht hij.

Hij probeert op het beeld in te zoemen, maar dan laat hij zijn camera zakken.

— O mijn god! roept Han, god nee!
— Wat is er? vraag ik geschrokken, zijn je batterijen leeg?
— O nee! Nee! Niet doen!

Achter me hoor ik een plons. Ik draai me om en zie dat de kapitein het bassin in is gedoken. Tegelijkertijd zie ik dat de drie zeehonden venijnige happen nemen uit het gezicht van oom Neppie, bij zijn wang, bij zijn kin.

— Daar gaat zijn neus! roept Frats.
— Waarom doen ze dat? vraag ik geschokt.
— Vermoedelijk denken ze dat jullie oom een haring is, zegt Frats, wellicht een behoorlijk uit de kluiten gewassen haring maar evengoed een haring.
— Hij is mijn oom niet, mompel ik.

Twee zeehonden gaan ervandoor als de kapitein zich in een

paar slagen bij de onfortuinlijke oom Neppie voegt, maar eentje blijft halsstarrig doorbijten. Daarbij gromt hij gevaarlijk naar de kapitein. Die bedenkt zich niet en slaat de agressieve zeehond met een mokerslag buiten westen.

Als we oom Neppie weer uit het bad trekken beginnen de twee andere zeehonden in het verste hoekje van het bassin verschrikkelijk te huilen, terwijl de derde zeehond meer dood dan levend in het water drijft.

Buiten worden er lichten aangeknipt.

— Snel jongens! roept Frats, opschieten! Lenie komt eraan. Neem mijn auto en zorg dat je hier snel vandaan komt.

We slepen oom Neppie weg, maar in de gang verschijnt Lenie 't Hart al, de dierenactiviste die haar leven lang al ernstig toegetakelde, ondervoede of door milieurampen geplaagde zeehonden opvangt in haar crèche in Pieterburen en ze hier verpleegt.

In haar badjas stiefelt ze de bezoekersruimte binnen. Nog net op tijd weten we achter de balie te duiken, eerst oom Neppie, dan Han, dan ik, dan de kapitein, alle vier op elkaar.

— Wat is er hier aan de hand? vraagt Lenie aan Frats de nachtwaker.
— Ik weet niet hoe ze het gedaan hebben, zegt hij, maar deze drie zeehonden zijn uit hun cel gebroken en het zwembad ingedoken.
— Het zijn slimme beesten, lacht Lenie, echte donderstenen.

Dan is ze stil. Haar blik valt op de zeehond die bewusteloos in het bassin drijft.

— Wat is er met die ene aan de hand? Die ligt toch niet te slapen?

— Je bent zelf een dondersteen, zegt Frats snel.

Pardoes loopt Lenie rood aan.

— Nee Frats, zegt ze.
— Nee wat?
— Niet nog een keer, Frats, stamelt Lenie, die tijd hebben
  we gehad. Dat kan nou niet meer. Je weet dondersgoed
  wat daarvan komt. Je weet dat…
— Kleine dondersteen, zegt Frats.
— Je weet…
— Kleine sexy dondersteen.
— Je…

Is dat werkelijk wat er nu op het punt staat te gebeuren? Twee
mensen op pensioengerechtigde leeftijd die elkaar…

— Ik denk dat dat is wat er nu gaat gebeuren, kreunt Han
  onder me.
— Waarom ook niet, fluistert de kapitein boven mij, Frats
  was ooit een knappe kerel, net zoals zijn broer.
— Frits?
— Die bedoel ik, zegt de kapitein zachtjes, en Lenie… Godallemachtig, op haar dertigste was ze al een bijzonder
  gepassioneerde vrouw en die vurige schoonheid schijnt
  nog steeds bij haar door. Ze is werkelijk prachtig.

Dan zwijgen we, wachtend op wat komen gaat.

— O Frits, kreunt Lenie.
— Frats, corrigeert hij haar.
— O Frats!
— O Lenie!
— O Frats!
— O Lenie!

Achter de balie zijn we nu heel stil. Dan kreunt ook Han onder mij.

— Wegwezen?
— Wegwezen? kreun ook ik nu onder de kapitein.
— Laten we gaan, lacht de kapitein.

* * *

— O Frats!
— O Lenie!

* * *

— *Scheiße*! roept de kapitein, ik kan de krik nergens vinden.

Het is me wat. Hier staan we dan, ver na middernacht, met een Lelijke Eend Bestel met een lekke band, midden in een gehucht dat de merkwaardige naam Horny Hausen draagt.

Het is niet eens de vreemdste naam van de kleine dorpen die we net nog op de terugreis van Pieterburen naar de haven van Lauwersoog passeerden. Zo noteerde ik plaatsnamen als Broek, Kruisweg en Kleine Huisjes, dat – voor zover ik het in het duister kon waarnemen – inderdaad alleen maar uit kleine huisjes bestaat.

Han zat als enige achter in de laadruimte. Samen met zijn oom dan, wiens gehavende gezicht hij trachtte te herstellen. Voor de missende neus vouwde hij een tissue in een vergelijkbare vorm en plakte deze op het gezicht vast met Ductape.

— Het is maar goed dat mijn oom morgen gecremeerd wordt, riep Han net nog naar voren, want zo blijft er niet veel van hem over.
— Zo is het! riep de kapitein terug.

— Horny Hausen, mompelde ik intussen zachtjes.

En op dat moment klapte de linkerachterband van de 2CV.

* * *

— Ik kan de carrosserie van de auto wel optillen, zegt de kapitein, maar zelfs ik kan de boel nooit lang genoeg omhooghouden zodat jullie tweetjes het achterwiel kunnen vervangen.

Het klinkt sympathiek, maar ik vermoed dat Captain Liefie het vooral zegt omdat hij denkt dat noch Han noch ik in staat zijn een wiel te vervangen. Wat eerlijk gezegd klopt als een bus.

— Ik kan u daarmee niet helpen, zeg ik evenwel, want ik kamp al jaren met een zwakke onderrug.

Dat kunnen Han en ik dus wel: goede smoezen verzinnen.

— We hebben echt een krik nodig, zegt de kapitein.
— Ik zoek anders wel naar een stok op het kerkhof, stelt Han voor.
— Wat wil je met een stok?
— Misschien kunnen we de auto daarmee ook omhoog heffen.
— Met een stok?
— Een stevige stok natuurlijk.

Of onzinnige voorstellen doen. Daar zijn Han en ik ook meesters in.

— Vooruit dan maar.

Terwijl Han het pikdonkere kerkhof naast de weg oploopt

en de kapitein opnieuw de bestelwagen van Frats overhoop haalt, op zoek naar die verduivelde krik – en waarom zou die er ook niet zijn als het reservewiel er wel is? – steek ik een sigaretje op in het donker.

Wat een gedoe de hele tijd. Ik ben blij dat ik morgen weer thuis ben, dat ik morgen weer kan slapen in mijn eigen bed, lekker warm, met mijn handen gevouwen tussen de billen van Aisha.

— Help!

Een ijselijke gil.

— Han! roep ik, wat is er?
— Help me, hoor ik hem kreunen.

Ik gooi mijn sigaret weg en ren ook het kerkhof op, achter de oude kerk van Horny Hausen.

— Fuck, brom ik.

Hier is het echt aardedonker. Ik zie amper een hand voor ogen.

— Bill?
— Ik kom eraan, Han!

Ik struikel over iets. Tastend voel ik achter me wat het is. Steen. Een geërodeerde stenen plaat als ik het beter voel. Vast een van de gedenkstenen die ze hier in voorbije eeuwen plat in het gras legden in plaats van rechtop.

Even kruip ik verder. Ik wil niet opnieuw vallen. Maar dit is ook geen doen. Ik sta weer op, steek mijn handen vooruit in het duister en loop voorzichtig op de tast verder.

— Waar ben je?

— Hier! roept Han.

Ik ben nou erg dichtbij. Hier moet hij ergens zijn. Hier… Godsamme! Opnieuw struikel ik. Ik strek mijn armen naar voren om mijn val te breken, maar deze keer tuimel ik de diepte in.

— Auw! schreeuw ik het uit.
— Auw! schreeuwt Han in mijn gezicht.

Samen liggen we in een diepe kuil, in koude en kletsnatte modder. Gelukkig maar dat Han mijn val gebroken heeft.

— Het is maar wat je geluk noemt, moppert hij.

Ik kijk om me heen, maar ik zie niets. Alles is zwart, zelfs de hemel boven ons. Het enige wat ik voel is Han.

— Laat me los, Bill.
— Sorry.
— En dat moet je al helemaal niet willen aanraken.
— Sorry.

Nadat we allebei zo hard als we kunnen om de kapitein hebben geschreeuwd, vraag ik Han waarin we zitten.

— Wat denk je zelf, gek?
— Tja, zeg ik, in een diepe kuil op het kerkhof.
— Dus…

Dan pas valt bij mij het kwartje.

— Help! schreeuw ik het uit, help, kapitein! Kapitein, help ons!

* * *

— Je hebt dus geen stok gevonden? vraagt de kapitein aan Han die net als ik onder de enige lantaarnpaal van Horny Hausen de modder van zijn kleding probeert te vegen.

— Nee, mompelt Han, alles wat ik aan stokken vond was broos en breekbaar.

Aangezien de krik ook nergens te vinden is, zitten we nu met een groot probleem. Hoe kunnen we nou nog de lekke achterband vervangen? De kapitein wrijft zich over het hoofd, lijkt op iets te broeden, maar er wil hem niets te binnen schieten. Wat bij mij dus wel gebeurt.

— Wist u dat een menselijke schedel zo sterk is dat die maar liefst tienmaal het gewicht van een man kan dragen?

— Is dat zo? vraagt de kapitein.

— Gelooft u alstublieft geen woord van die gek! roept Han tegen de kapitein.

— Wetenschappers hebben dat laatst onderzocht, ga ik onverstoorbaar verder.

— Zulke wetenschappers kun je niet serieus nemen! roept Han.

— Tienmaal het gewicht van een man, zeg je? vraagt de kapitein aan mij.

— Het is werkelijk een onzinnig onderzoek! roept Han.

— Ik denk niet dat het opgaat voor mannen van ons postuur, zeg ik, maar zelfs als het maar 750 kilo is…

De kapitein knikt begrijpend en staart vervolgens schattend naar de Lelijke Eend verderop. Die bestaat grotendeels uit blik met een motortje voorin. Zo zwaar is die dus niet.

— Dan is het wellicht te doen, zegt de kapitein.

— Dat denk ik ook, juich ik.

De kapitein en ik kijken Han aan, maar die schudt afwijzend zijn hoofd.

— Nooit, zegt hij.
— Maar Han…
— Nooit gaan we het hoofd van mijn oom gebruiken als een krik.
— Maar hoe komen we dan weg uit Horny Hausen met een auto met een lekke band op dit uur van de nacht?
— We kunnen de ANWB bellen.
— Heb jij je iPhone bij je?
— Nee, die ligt immers nog aan de oplader aan boord.
— Dan gaat dat dus niet gebeuren, zeg ik.

Beteuterd staart Han me aan.

— Als we nou erg langzaam rijden, stelt hij voor, dan halen we Lauwersoog misschien net.
— Maar dan is de achterband echt aan flarden, zegt de kapitein, dat wil ik Frats niet aandoen, niet na alles wat hij vanavond voor ons gedaan heeft.
— En wellicht nog steeds doet, voeg ik daaraan toe.

Han kijkt ons vertwijfeld aan. Wat nu te doen? Heeft hij überhaupt nog een keuze?

— OK, zegt hij uiteindelijk.

We maken het hoofd van oom Neppie los van diens romp en wikkelen het in onze overjassen. Vervolgens trekt de kapitein de linkerkant van de auto omhoog. Zodra die hoog genoeg hangt, plaats ik het hoofd van oom Neppie op het asfalt, precies onder een chassisbalk van de Lelijke Eend. Voorzichtig laat de kapitein de auto weer zakken.

— Voorzichtig! roept Han.
— Wat doe ik anders, zegt de kapitein.
— Voorzichtig...

Het is een stom idee maar het werkt wonderwel. De schedel van de dode oom lijkt het gewicht van de Lelijke Eend prima te houden.
Daarna wisselt de kapitein razendsnel het wiel met de lekke band voor het reservewiel. Gaat ook goed. Inmiddels heeft hij vier van de vijf moeren al in het wiel vastgeschroefd.

— Hoe gaat het? vraagt Han.
— Perfect, antwoordt de kapitein.
— En het hoofd van oom Neppie?

Ik kijk er nog eens naar, hoe het de auto op de juiste hoogte houdt.

— Dat houdt het prima, zeg ik.
— Gelukkig.

Nou de laatste moer nog. De kapitein pakt 'm op uit de wieldop, maar de moer glijdt uit zijn vingers en rolt onder de auto.

— *Scheiße*, zucht de kapitein.

Hij kruipt onder de Lelijke Eend om de moer te zoeken.

— Ik kan niets zien zo, zegt hij.
— Gebruik deze maar, zeg ik.

Terwijl ik de kapitein mijn aansteker overhandig, pakt Han de moersleutel op. Hij gaat op één been staan en schraapt met de vlakke kant van de sleutel modder van zijn schoenzool af.

— Goed idee, zeg ik, dat ga ik straks ook doen.
— Hebbes! roept de kapitein vanonder de auto.

Hij komt zo snel weer onder de auto vandaan dat hij tegen Han opbotst, die daardoor zijn evenwicht verliest. Even hupt Han heen en weer, grijpt dan in het luchtledige naar houvast, kan nergens iets vinden en ploft ten slotte op de motorkap van de Lelijke Eend neer.

— Wow! roept hij, dat ging nog maar net goed.

Tegelijkertijd horen we het knarsen onder ons. En knarsen. De chassisbalk drukt steeds zwaarder op de schedel van oom Neppie.

— Godallemachtig! roept de kapitein uit.

Maar we zijn te laat. En we beseffen ook dat de situatie niet meer te redden is.

— *Scheiße*, zucht Han.

* * *

— Is dit echt Neppie? vraagt Udo Lindenberg.

De Duitse wereldster in eigen land is net op dit vroege uur in de ochtend aan boord van de Herz gestapt. Zelfs in de stuurcabine doet hij zijn zwarte Stetson niet af.

— Ja, zegt Han.
— Uhuh, mompel ik.

Als twee betrapte schooljongetjes knikken we bedeesd. De rockzanger durven we amper aan te kijken.

— Ik meende dat hij een smaller gezicht had, zegt Udo.

Hij spreekt lijzig – zoals je het van oude Duitse hippies mag verwachten – maar ook met een klemtoon op elke vierde lettergreep, waar hij op dat moment ook is in zijn zin. Alsof hij het ritme van de rock-'n-roll – die hij al decennia lang als geen ander in Duitsland verpersoonlijkt – zelve is.

— Ik zei toch dat je dat gat in het hoofd van mijn oom teveel hebt opgevuld met die suikerbiet, mompelt Han.

Han kan de pot op. Zelf durfde hij het niet eens te doen. OK, ik ook niet. Ik werd helemaal onpasselijk van de gedachte om die kapotte schedel – met de opengescheurde gelaatshuid, de vermorzelde hersenen overal en ook nog eens dat geplette oog – te herstellen met de suikerbiet, die we bij een boerderij nabij Horny Hausen gevonden hadden. Maar het was wel mijn idee.

— Jij ook altijd met je stomme ideeën, fluistert Han.

En ik was ook degene die de suikerbiet vannacht op maat gesneden heeft.

— Jij hebt totaal geen ruimtelijk inzicht, fluistert Han nog steeds bits tegen me, jij hebt totaal geen gevoel voor verhoudingen.
— Het zal wel.

Uiteindelijk was het de kapitein die de gepulveriseerde massa uit de schedel van oom Neppie verwijderde en in de overgebleven holte de suikerbiet plaatste. Waarna hij het hoofd van oom Neppie volledig met zwarte Ductape inwikkelde.

— Het is een paar keer misgegaan onderweg, zeg ik verontschuldigend.

— Ik heb het gehoord, zegt Udo, dingen gaan nu eenmaal altijd anders dan je gepland hebt.

Dan kijkt hij Han en mij onderzoekend aan.

— Jullie tweetjes komen me bekend voor, zegt hij, hebben we elkaar misschien eerder ontmoet?
— Nee, zegt Han resoluut.
— Dat hadden we vast en zeker wel onthouden, zeg ik.

Udo Lindenberg haalt zijn schouders op. Hij lijkt mij een vriendelijke kerel, die Udo.
Inmiddels heeft Hubert een kop thee voor tante Carola gezet, die hij voorzichtig weer bij haar positieven probeert te brengen.

— Wat was dat? stamelt ze.

Dan ziet ze oom Neppie weer, die in zijn hoekje op de bank in de stuurhut van de rijnaak zit, nog steeds met zijn zonnebril op – net als Udo overigens – maar wel met zijn blijkbaar iets te dikke hoofd volledig in Ductape gezwachteld.

— Neppie! schreeuwt tante Carola het uit.

En verdorie, wederom valt ze flauw.

Udo spreidt direct zijn handen, niet om haar op te vangen, maar naar beneden, alsof hij de hele wereld naar beneden wil drukken.

— Geen paniek, zegt hij, geen paniek.

* * *

Tante Carola is definitief weer bij bewustzijn. Han heeft haar

– toch nog – zo voorzichtig mogelijk uit de doeken gedaan wat er allemaal is misgegaan. Maar over Horny Hausen heeft hij met geen woord gerept en de aanval van de zeehonden heeft hij juist aangedikt.

Daarnaast heeft Hubert tante Carola ervan overtuigd dat het beter is oom Neppie niet meer te zien zoals hij nu is, maar hem in haar herinnering te houden zoals hij bij leven was.

— Ik wil geen thee, zucht tante Carola, ik heb een borrel nodig.
— Komt eraan, zegt Hubert.

Het was een lange nacht en het gaat nog een lange dag worden, zo meteen, met de crematie van oom Neppie in Delfzijl.

— Als er maar niet nog meer misgaat van Lauwersoog naar Delfzijl, zegt tante Carola.
— Geen paniek, zegt Udo.
— Je bekijkt het maar met je 'geen paniek', zegt tante Carola bits.

Samen met Hubert gaat ze naar de voorplecht van de Herz om daar in de vroege ochtendstond te roken.

— Wilt u niet roken? vraag ik aan Udo.
— Ik ben er net mee opgehouden, lacht deze, onderhand al voor de twintigste keer.

Dan zwaait de deur van de stuurcabine open. Even zien we de machtige gestalte van de kapitein in de deuropening staan, met achter zich de roodroze hemel in de zonsopgang. Vervolgens stapt hij naar binnen, knikt naar ons en dan naar Udo.

— *Landsman*, zegt de kapitein.
— *Landsman*, reageert Udo.

De blik in de ogen van de kapitein voorspelt niet veel goeds.

* * *

— Wow, zegt Udo.
— Ik was nog maar net met haar getrouwd, zegt de kapitein.
— Dubbel wow, zegt Udo.

Dan kijkt hij de kapitein aan.

— Maar ik was het dus niet.
— Nee, zegt de kapitein, het was een van je gitaristen.
— Dat zijn er veel geweest in de loop der jaren, zegt Udo.
— Dat weet ik niet, zegt de kapitein, want ik heb je sindsdien niet meer gevolgd.
— *Selbstverständlich,* zegt Udo.

Buiten plaatsen Han en Hubert onder toezicht van tante Carola het lichaam van oom Neppie op het luchtbed in de achterbak van de Espace. Als ik het zo van een afstandje zie, dan lijkt het hoofd van oom Neppie inderdaad iets te groot. Iets te breed ook. Maar goed, daar is nu niets meer aan te doen. Hij is in elk geval klaar voor zijn laatste reis.

— Is dit haar? vraagt Udo, deze mooie vrouw met het prachtige kastanjebruine haar en die warme ogen?
— Nee, lacht de kapitein, dat is Susie. Zij is mijn hart.

Hij vraagt haar pasfoto terug en wijst Udo vervolgens op de stapel fotokopieën op het aanrecht.

— Die feeks was mijn eerste vrouw, verklaart de kapitein.
— Wow, zegt Udo.
— Wat is je eerste reactie? Of is dat het?
— Eh…, stamelt Udo, dat is ook al zo'n mooie vrouw.

— Kom op, man. Zeg me de waarheid. Zeg me wat je eerste indruk is, als je mijn ex zo ziet.

Udo aarzelt. Hij is niet klein en tenger, maar ook hij valt in het niet vergeleken bij de mammoet die de kapitein is.

— Geen paniek, zegt Captain Liefie.

Udo glimlacht.

— OK, zegt hij, het eerste wat ik dacht toen ik deze foto van je ex zag was: wat een stuk.

De kapitein knikt.

— Precies, zegt hij, en dat wou ze weten ook. In de jaren dat wij getrouwd waren, heb ik haar zeker met tien kerels betrapt.

De kapitein had beter moeten weten. Toch hield hij het tegen heug en meug vol, dat huwelijk dat niet meer dan een leugen was, maar waar wel twee kinderen uit voortgekomen waren.

— Zijn dit je kleinkinderen? vraagt Udo die de kinderfoto's bij het stuurwiel bestudeert.
— Het zijn mijn eigen kinderen, zucht de kapitein.
— Maar ze zijn nog zo jong…
— Ik heb ze al een eeuwigheid niet meer gezien.

De rockmuzikant legt zijn hand op de schouder van de kapitein.

— *Das muß schwer sein*, zegt hij.

De allereerste keer dat de kapitein begreep dat zijn huwelijk niets voorstelde – waar zijn ouders en zelfs zijn schoonouders hem nog zo voor gewaarschuwd hadden – was na een concert van Udo Lindenberg Und Das Panik Orkester in Münster, in de winter van 1979.

— Dat moet dan tijdens de Drönland Tournee zijn geweest, zegt Udo, maar dat is wel erg lang geleden.
— Ik herinner het me anders nog als de dag van gisteren, zegt de kapitein.

Het was een geweldig concert en de kapitein had er – net als al die andere duizenden Duitsers in de Westfalenhalle van Münster – intens van genoten.
Zijn vrouw – met wie hij net een halfjaar getrouwd was – wilde nadien *unbedingt* een handtekening van Udo hebben. Samen met nog wat anderen stond ze bij de artiestenuitgang, waarvoor de bandbus stond te wachten.

— Heb ik haar die handtekening gegeven? vraagt Udo.
— De witte bh met jouw handtekening erop heeft nog tijdenlang naast ons bed gehangen.

Fronsend staar ik de Duitse rockheld aan.

— Tja, verontschuldigt Udo zich, ik was me er eentje in die dagen.

Dan richt hij zich tot de kapitein.

— Maar je weet zeker dat jouw vrouw niet met mij naar het hotel gegaan is? vraagt hij.
— Weet u dat zelf niet? vraag ik aan Udo.
— Ik heb zo veel vrouwen gehad, zucht hij, dat ik me slechts een handvol werkelijk kan herinneren.

Wow! Toen ik zelf nog in een band zat – bij lange na niet zo groot als die van Udo – konden we onze groupies op de vingers van één hand tellen. Mits het de hand van een lepralijder betreft. Mits die ondertussen al zijn vingers verloren heeft.

— Mijn vrouw, zegt de kapitein, is destijds met een gitarist met zwarte krullen de bandbus ingegaan. Hoezeer ik haar ook smeekte dat niet te doen, ze keek niet eens meer naar me om.
— Gitzwart haar met krullen, zeg je?

Op dit moment komen Han en tante Carola de stuurhut binnen. Beide vegen ze douwdruppels van hun haar.

— Gitzwart met krullen, knikt de kapitein.

Die ken ik ook! Dat was de meest coole gitarist die ik ooit gezien heb, die zo geweldig kon rauzen op zijn instrument tijdens het popfestival in Lochem, die zo achteloos een sigaret op een snaar van zijn gitaar prikte en dan strak zijn enerverende *riffs* speelde.

— Ik meen dat de gitarist Thomas heette, gaat de kapitein verder.

Udo kijkt de kapitein verschrikt aan.

— Thomas?
— Ja, Thomas, zegt de kapitein, maar hoe heette die jongen nog maar weer van achteren?
— Kretschmer, zegt tante Carola zachtjes.

De kapitein slaat met vlakke hand op tafel.

— Ja die! roept hij uit, Thomas Kretschmer! Die had die nacht seks met mijn vrouw terwijl ik wanhopig voor de deur van het hotel heen en weer beende, omdat de portiers me niet naar binnen wilden laten gaan.

Je zou verwachten dat die portiers juist ontzag voor zo'n enorme vent als de kapitein zouden hebben.

— Op mijn 24e was ik nog een iel mannetje, zegt de kapitein, je zusje van vier zou mij zo omver kunnen blazen.
— *Unglaublich*, reageert Udo.

Net als de rest staart hij naar de kolossale armen van de kapitein, dat groteske lijf, die magnifieke torso.

— Ik heb nooit een zusje van vier gehad, mompel ik.

Waarop Han me in mijn arm knijpt, die meer uit lui vlees bestaat dan uit bonkige spieren zoals bij de kapitein.
Zelf is die even alleen met zijn gedachten. De kapitein staart uit het raam naar een vissersschip dat in de dageraad langzaam uit de haven van Lauwersoog wegvaart.
Intussen kijkt tante Carola Udo veelbetekenend aan. Veelbetekenend, dat heb ik wel door, maar wat het precies betekent, dat weet ik niet.
Udo spreidt zijn handen opnieuw naar beneden. Blijkbaar mag tante Carola niet in paniek raken.

Maar ze kucht. En nog eens, maar dan harder.

We kijken haar allemaal aan. De 60-jarige weduwe van oom Neppie, die sinds een jaar in Delfzijl woont en daar kinderen privémuziekles geeft, het liefste een kokerrok draagt en nog steeds wonderlijk mooi is, alsof de tijd maar geen vat op haar kan krijgen.

— Ik ben Thomas Kretschmer, zegt ze.
— Wat zegt u? vraagt de kapitein verbaasd.
— Voordat ik vrouw werd, zegt tante Carola zacht maar duidelijk verstaanbaar, was ik Thomas Kretschmer, een van de gitaristen uit Das Panik Orkester van Udo.

— U was Thomas Kretschmer?

Verward kijken we elkaar aan, de kapitein, Han en ik. Dan kijken we naar Udo Lindenberg.

— Het klopt, knikt Udo, maar dat was in een ander leven, in een andere tijd, dat was omdat we jong waren, omdat we rockers waren, omdat we...

De ogen van de kapitein schieten vuur.

— Ik wil het niet horen! schreeuwt hij, ik wil al die *Scheiße* excuses niet langer horen! Basta!

Met een machtige trap schopt hij de tafel omver. Kopjes en bierblikjes vliegen in het rond. Han en ik stuiven van schrik naar achteren. Udo beeft als een rietje. Alleen tante Carola verroert zich niet en blijft staan op haar plek.

— Wat is er hier aan de hand? vraagt Hubert.

Bezorgd betreedt de scheepsmaat de stuurhut.

— Ik was een klootzak in die dagen, zegt tante Carola.
— Dat was u zeker! roept de kapitein.

Dreigend staat hij nu tegenover haar, als een uitzinnige gorilla tegenover een kleuterschoolmeisje. Als *King bloody Kong*.

— Captain! blaft Hubert.

De scheepsmaat springt pal tussen de kapitein en de tante van Han in. Of het helpt weet ik niet. Het vuurrode, woedende gezicht van de kapitein staat op ontploffen. Als hij met één klap een agressieve zeehond kan uitschakelen, wat vermag hij dan wel niet te doen tegenover zo'n frêle vrouwtje als tante Carola?

— Je houdt je verdomme in, Captain! schreeuwt Hubert.

Net zo snel als 'ie gekomen is, glijdt de boosheid uit het gezicht van de kapitein weg. Hij draait zich om en neemt plaats op de bank achterin, in hetzelfde hoekje als waar oom Neppie het grootste deel van de reis heeft doorgebracht.

— Ik neem u niet langer meer iets kwalijk, Thomas, zegt hij zachtjes.
— Ik ben nu Carola, zegt de tante gedecideerd.
— Na het optreden in Münster wilde u vast en zeker even flink van bil gaan, zegt de kapitein, welnu, beter dan met mijn ex kon u dat in die dagen in die omgeving niet doen.

Dan staart hij naar de pasfoto van Susie. Met haar kastanjebruine haar en haar zachte ogen ziet ze er zo compleet anders uit dan de helblonde ex op de fotokopieën die hij geregeld op sinaasappels vastprikt om die dan weer met zijn honkbalknuppel tot moes te slaan.

— Een mens leidt soms een leven dat niet altijd zin lijkt te hebben, mompelt de kapitein, daarom hou ik vast aan routines. Zoals wekelijks heen en weer varen tussen Münster en Groningen. Daarom hou ik ook vast aan rituelen. Zoals mijn gelofte aan het altaar die ik tegen beter weten in gestand wilde houden, want mijn huwelijk was vanaf het begin al verrot. Diep in mijn hart wist ik dat wel. Mijn ex is nu eenmaal iemand voor wie het gras bij de buurman altijd groener is.

De kapitein kijkt tante Carola aan.

— U was de eerste met wie ze me zo openlijk bedroog, zegt de kapitein berustend, maar er zouden nog vele anderen volgen. Andere muzikanten, andere schippers, godbetert, zelfs mannen van wie ik altijd gedacht had dat ze mijn vrienden waren.

— Het spijt me, zegt tante Carola.

— Geeft niet, zegt de kapitein, op den duur was de maat vol en zijn we gescheiden.

Dan kijkt hij opnieuw als betoverd naar de kleine pasfoto van Susie in zijn grove hand. Er breekt een glimlach door op zijn gezicht.

— Uiteindelijk heb ik toch nog mijn *Herz* gevonden, zegt Captain Liefie, dat is het enige wat telt.

* * *

— Is Susie getrouwd met een ander? vraagt tante Carola aan Hubert als we later buiten op de kade van de haven van Lauwersoog staan.

Han zit al achter het stuur van de Espace. Ook ik blijf nog even buiten staan voor een laatste sigaretje, want in zijn auto mag ik niet roken van Han. Ik mag er dan niet eens aan denken van hem.

Intussen nemen de kapitein en Udo Lindenberg aan boord van de Herz uitgebreid afscheid van elkaar, net alsof het oude vrienden zijn die elkaar al een eeuwigheid niet meer gezien hebben en nu – in het besef dat hun volgende ontmoeting wellicht opnieuw een eeuwigheid op zich zal laten wachten – nog snel de belangrijkste wederwaardigheden met elkaar uitwisselen.

— Ergens is het ironisch dat juist de kapitein de grote liefde vindt in de vrouw van een ander, merkt tante Carola op.

— Klopt, zegt Hubert, ik heb hem daar al verscheidene malen op gewezen, maar hij snapt het niet. Daarvoor is zijn liefde te groot.

— Net als de man zelf.

Hubert vertelt tante Carola dat Susie niet voor de kapitein koos, maar bij haar gezin bleef.

— Dat klinkt billijk, zegt tante Carola, in zo'n redenering zullen de meeste vrouwen zich kunnen vinden. Maar als ik het goed begrijp was er geen sprake van een slippertje.

— Nee, zegt Hubert, Susie en de kapitein waren echt verliefd op elkaar.

— Dan had ze voor de kapitein moeten kiezen, zegt tante Carola beslist, want liefde gaat voor alles. Liefde maakt je sterk. Daarmee kan je elke verandering in het leven aan.

Hubert knikt. Ik ook. Ook een beetje omdat het frisjes is in de ochtend. Tante Carola trekt haar jas van boven bij haar nek dicht. Inmiddels is mijn sigaret op. Sowieso moeten we nu ieder moment gaan.

— Ik weet niet waarom Susie de relatie met haar man niet heeft beëindigd, zegt tante Carola, ik ken haar niet eens. Maar er kunnen allerlei redenen voor zijn. Misschien is haar echtgenoot te dominant en zij te zwak om van hem los te breken. Of misschien stelt haar echtgenoot zich juist erg afhankelijk van haar op – bijna als een kind – en functioneert zij eigenlijk vooral als zijn moeder. Of misschien lijdt zij simpelweg aan een verpleegsterscomplex.

— Wat is een verpleegsterscomplex? wil Hubert weten.

Ik ben er ook benieuwd naar aangezien mijn eigen moeder vroeger jarenlang als verpleegster heeft gewerkt.

— Dat is de grootste valkuil van vrouwen, glimlacht tante Carola, het houdt in dat je echtgenoot een klootzak is, maar dat jij als vrouw het gevoel hebt dat jij dat als enige kan veranderen. Dat er ergens in die ruwe bolster een blanke pit schuilt die alleen jij – met veel liefde en geduld – kunt blootleggen. Dat jij hem met andere woorden tot een volwaardige vent kunt verplegen.

— O, zegt Hubert.

Zelf moet ik ineens aan mijn vader denken.

— De ellende is, gaat tante Carola verder, dat sommige mannen nu eenmaal echt klootzakken zijn. Er is bij hen helemaal geen blanke pit aanwezig om bloot te leggen. Het zijn de mannen voor wie genoeg nooit genoeg is. Het zijn de mannen die constant over de grenzen van anderen heen gaan.

Nou moet ik dus helemaal aan mijn vader denken.

— Het is dieptriest, zegt tante Carola, dat zo veel vrouwen vaak hopeloos blijven vastzitten in slechte relaties. Dat ze tegen beter weten in iets in stand proberen te houden, dat in de basis zo verrot is als kanker. Terwijl wij mannen – als we eenmaal beseffen dat iets niet langer werkt – er veel gemakkelijker uit kunnen stappen, ons verlies nemen en verdergaan.

— Maar u bent zelf een vrouw nu, werpt Hubert tegen.

— Jawel, knikt tante Carola, maar wat die denkwijze betreft ben ik gelukkig nog steeds een man.

Dan peinst ze voor een moment.

— Voor zo'n uitzonderlijke man als de kapitein gaat het helaas niet op, gaat tante Carola verder, maar het is de kracht van ons mannen dat wij kunnen vergeten.

— Wat zei u? reageer ik ad rem.
— Heel goed, glimlacht tante Carola.

Evenwel boren haar zwarte ogen tegelijkertijd zo diep in me dat ik het er benauwd van krijg.

— En het is de kracht van ons vrouwen, zegt tante Carola, dat wij kunnen vergeven.

Dan kijkt ze naar de Espace, die Han inmiddels gestart heeft en stationair laat draaien.

— Gelukkig had ik Neppie, glimlacht tante Carola, een betere man kan een vrouw zich niet wensen.

* * *

— Het filmpje doet het nou!
— Welk filmpje? vraag ik.
— Het filmpje dat ik van tante Carola ontvangen heb op mijn iPhone, zegt Han.

Zelf neemt ze op dit moment afscheid van Hubert, maar op het filmpje wordt ze door Udo Lindenberg aangekondigd op het podium van de O2 Arena in Hamburg. We zien hoe ze tussen de coulissen nerveus staat te wachten, terwijl Udo zijn microfoon pakt.

— Vroeger was hij een tijger, schalt Udo door de Arena, nu is zij een tijgerin. *Meine Damen und Herren:* Carola Kretschmer!

We zien vervolgens hoe de tante van Han trots het podium opkomt en met haar gitaar de sterren van de hemel speelt. Helaas niet lang. Dan is het filmpje alweer afgelopen.

* * *

We rijden nog maar net weg van de kade – Han en Udo voorin in de Espace, tante Carola en ik op de achterbank, oom Neppie op het luchtbed achterin – of Hubert komt ons met zwaaiende armen achterna rennen. Han stopt de wagen en laat zijn zijraampje automatisch naar beneden zakken. Hij buigt zich naar buiten en vraagt Hubert wat er aan de hand is.

— De kapitein heeft net een telefoontje uit Leer gekregen, hijgt Hubert.
— Van Susie? vraagt Han.
— Nee, van de politie!
— Van de politie?
— Ja, van de politie uit Leer.

Daar komt de kapitein inmiddels ook aanrennen. Hij rukt het zijportier van de Espace open en trekt Han achter het stuur weg.

— Klim jij maar achterin, zegt de kapitein tegen Han.

Zelf neemt de kapitein achter het stuurwiel van de Espace plaats.

— *Was ist los*? vraagt Udo.
— Susie is op een flat in Leer geklommen en wil daar vanaf springen, brult de kapitein, ik moet nu direct naar Leer.

Hij geeft gas en de auto scheurt weg. Gelukkig kan Han nog net op tijd achter in de Espace springen, maar ik moet naar achteren klimmen om hem te helpen de achterklep dicht te krijgen.

— Het is verdomme wel mijn auto, jammert hij.

Zelf zie ik hoe Hubert ons nog steeds nawuift, daar op de kade van de haven van Lauwersoog, waar de Herz roerloos in het water ligt.

* * *

We blazen door het niemandsland ten oosten van Winschoten, over die immense uitgestorven vlakte in het moor.

— Niet zo hard, klaagt Han die ondertussen naast de kapitein voorin in de Espace zit.

De kapitein geeft geen kik, is lijkbleek en blijft maar plankgassen.

Gelukkig konden we hem ervan overtuigen even bij het crematorium in Delfzijl te stoppen om tante Carola en Udo Lindenberg uit te laten stappen. En oom Neppie natuurlijk, aan wie we de afgelopen dagen vreemd genoeg behoorlijk gehecht zijn geraakt. Onwillekeurig drukten we allebei nog enkele loszittende stukjes Ductape vast op het lichaam van oom Neppie.

— Mijn oom, zei Han zachtjes.
— Onze oom, knikte ik en legde mijn hand om de schouders van Han.

Waarop de kapitein claxonneerde. We sprongen in de auto en doken weer de weg op, op weg naar Leer, waar Susie blijkbaar vertwijfeld op het dak van een flat staat.

Bij Bunderneuland knallen we de grens over. Daarna een stukje via de Emslandroute. Bij Bingum duiken we de tunnel in onder de Eems – waar we gisteren nog over gevaren zijn – en bij Leer-Nord slaan we af. Pas in het oude centrum van de stad, in de *Altstadt*, stoppen we bij het oude *Rathaus*, waar de weg door de politie is afgezet.

Verderop staat de flat waarop Susie geklommen is en waar ze – godzijdank – nog steeds op staat. Maar het is geen flat, of in elk geval niet de flat van tien verdiepingen die ik verwacht had. Drie verdiepingen. Meer telt de flat niet. Bovendien is het niet eens een flat, maar een oude fabriek. 'Bünting Tee' staat er op de gevel, in vale letters van koper.

De kapitein springt uit de Espace en rent naar de afzetting toe. Een agent wil hem tegenhouden, maar aarzelt als hij de formidabel gebouwde kapitein op hem ziet afrennen.

— Laat hem maar door, roept een andere agent, dat is Captain Liefie.

Achter het blauw-gele lint van de afzetting staat ook de kordate man van gisteren bij het station, de echtgenoot van Susie. Woedend kijkt hij de kapitein aan, alsof hij diens bloed wel kan drinken. Maar de kapitein ziet hem niet, heeft alleen maar oog voor Susie.

Binnen de afzetting proberen twee brandweermannen vloekend en tierend een enorm valkussen op te blazen. Maar de luchtpomp begeeft het, zodat het valkussen weer lucht verliest en in elkaar zakt.

— Daar staat Susie nou, zeg ik.
— Godallemachtig, moppert Han, die lul van een kapitein heeft daarnet zo hard over de weg gescheurd dat de benzine van de Espace nou alweer op is.
— Dat verbaast me niks. De kapitein heeft ons binnen drie kwartier hierheen gereden vanaf Lauwersoog, terwijl je er normaliter anderhalf uur over doet.
— Als hij maar niet denkt dat ik de benzine ga betalen, of al die verkeersovertredingen die hij onderweg gemaakt heeft.
— Daar staat Susie nou, zeg ik nogmaals.

Drie verdiepingen hoog staat ze, zodat we haar redelijk goed kunnen zien van waar we staan, anders dan de kapitein nog steeds buiten het afzettingslint.

— Susie! roept de kapitein, ik ben er! Ik ben hier!
— Liefie?

Susie kijkt naar beneden en pas nu zie ik de tranen in haar ogen en de gebroken lippen om haar mond.

— Ja! schreeuwt de kapitein, ik ben hier! Ik sta hier! Je kapitein is hier!
— Liefie…

Even verschijnt er een flauwe glimlach op haar lippen.

— Nadat ik je gisteren bij het station zag kwam alles weer naar boven, stamelt de tandartsassistente op het dak, en nou weet ik niet meer wat ik moet doen…

Haar glimlach breekt opnieuw in stukken.

— Spring maar, kutwijf! schreeuwt haar echtgenoot haar toe.

Een politieagent naast hem kijkt de kordate man geïrriteerd aan. De kapitein rent op de echtgenoot af en grijpt hem bij de kraag.

— Jij gemene klootzak! schreeuwt de kapitein de echtgenoot in het gezicht.

De kapitein wil hem een mokerslag geven.

— Laat hem maar, Liefie! schreeuwt Susie van boven.

Waarop de kapitein de kordate man weer loslaat.

— Ik kan je gemakkelijk aan, schampert de echtgenoot tegen de kapitein.

Maar die draait zich weer om naar Susie, die boven op het Bünting Tee-gebouw staat.
Intussen vloeken de twee brandweermannen binnen de afzetting als een stelletje bootsmannen, omdat hun valkussen wederom leegloopt.

— Bill!

Han komt op me afrennen met het luchtbed dat hij uit de achterbak van zijn Espace heeft gehaald.

— Wat wil je daarmee? vraag ik verbaasd.
— Misschien kunnen we hiermee de val van Susie breken als ze toch springt, hijgt Han.
— Goed idee, man!

Als de kapitein aangeeft dat Han en ik bij hem horen, mogen ook wij van de agenten de afzetting betreden. Terwijl we het luchtbed tussen ons in dragen voegen we ons bij de kapitein.

— Liefie…, roept Susie naar beneden.
— Liefie, roept de kapitein terug.
— Ik ben zo blij je nog één keer te zien.
— Ik zie je altijd, mijn *Herz*, waar ik ook ben, ik zie je altijd.
— Echt waar?
— Natuurlijk, glimlacht de kapitein, ik kan niet anders.

De boosaardige echtgenoot grist een megafoon uit de handen van een van de politieagenten en schreeuwt daarmee nogmaals naar Susie dat ze maar moet springen en dan bij voorkeur op die lul van een kapitein en die twee dikke sukkels bij hem.

— Nou moe, zegt Han.

— Dat is niet fraai, zeg ik.

— Belachelijk, zegt Han, we kennen die kerel niet eens en dan zegt hij zulke dingen over ons.

Twee politieagenten ontfutselen de echtgenoot de megafoon en voeren hem af naar een politieauto, waar ze hem in opsluiten.

— Spring dan toch, jij domme gans! schreeuwt de echtgenoot nog eens.

Waarna een agent het portier van de politieauto snel dicht knalt.

— Ik maak me zo veel zorgen om jou, Liefie, huilt Susie boven op het dak.

— Dat hoeft niet, *Herz*, schreeuwt de kapitein terug, het gaat goed met mij. Vraag maar aan mijn twee vrienden.

Susie kijkt Han en mij aan. Han knikt dat het inderdaad zo is. Ik heb niet de indruk dat het nou echt zo goed gaat met de kapitein, maar ik knik ook van ja.

— Werkelijk liefie, roept de kapitein, je hoeft je om mij echt geen zorgen te maken.

— *Große Gott im Himmel*!

Opnieuw zakt het valkussen van de brandweermannen ineen.

— Waarom heb je die pomp van tevoren niet gecontroleerd, *Arschloch*! schreeuwt de ene spuitgast tegen de andere.

— Jij zou hem toch controleren, *Blödmann*! schreeuwt de andere terug.

Even lijkt Susie haar evenwicht te verliezen. Angstig staren we naar boven. Tegelijkertijd voel ik hoe strak Han en ik het luchtbed uit zijn auto vasthouden.

Zonder het zo met elkaar te hebben afgesproken, bewegen we op de grond mee met Susie die nu precies boven ons staat.

Er is iets vreemds met ons aan de hand. Ik voel een enorme kracht in mij op komen zetten. Han heeft hetzelfde. Nauwlettend volgt hij elke beweging van de suïcidale tandartsassistente. Ik ook.

— Ik weet het niet meer, Liefie, huilt Susie, ik kan zo niet langer leven als ik weet dat jij niet gelukkig bent.
— Ik ben hartstikke gelukkig, schreeuwt de kapitein, ik ben juist nog nooit zo gelukkig geweest!

Ik snap wel dat de kapitein nu alles zegt om Susie maar zo veilig mogelijk van het dak te krijgen, maar zelf geloof ik geen moer van wat hij zegt.

— Dat is niet waar, Liefie, huilt Susie, ik heb je hart gebroken en dat weet ik.

De kapitein zwijgt en staart even naar de grond. Dan kijkt hij weer omhoog, naar de vrouw met het kastanjebruine haar en de zachte ogen die nu vol tranen zijn.

* * *

— Al die jaren bad ik tot God om ook mij de grote liefde te geven, zegt de kapitein tegen de vertwijfelde vrouw op het dak van de oude Bünting Tee-fabriek, dat is wat ik diep in mijn hart wenste.
— Jij hebt zo'n groot hart, Liefie, huilt Susie op het dak.
— Dat weet ik niet, zegt de kapitein, maar toen verscheen jij in mijn leven en ineens kreeg alles zin. Snap je?
— Ja.

— Het was net alsof ik – wie of wat ik ook ben – speciaal voor jou gemaakt ben.
— Jij bent perfect zoals je bent, Liefie.

De kapitein glimlacht flauwtjes. Dan kijkt hij weer omhoog.

— Ik heb God gevraagd om de grote liefde, gaat hij verder, ik heb zo'n ongelofelijk geluk gehad, want die is gekomen. Ja, Susie, dat was jij.

De kapitein kijkt de vrouw op het dak lachend aan.

— Nee, herstelt hij zichzelf, dat ben jij nog steeds. Punt. Probleem is: ik was vergeten God te vragen of het ook voor eeuwig mocht duren.
— Och Liefie, huilt Susie.
— Maar de situatie is er niet naar, zegt de kapitein, jij bent immers al getrouwd. Jij bent de vrouw van een ander.

Ik kijk naar haar echtgenoot achter in de politieauto. Hij heeft intussen zijn zijraampje naar beneden geschoven.

— Spring dan toch, jij stomme doos! schreeuwt de man.

Het is waarschijnlijk niet wat de kordate man in gedachten had, maar voor de politie is nu de maat vol. Twee agenten springen bij hem in de politieauto om hem met harde hand definitief de mond te snoeren.

— Ik had zo gewild dat het anders was geweest, Liefie, huilt Susie.
— Ik ook, zucht de kapitein.

Met zijn kolenschop van een hand veegt hij een traan weg.

— Maar zo is het niet, zegt de kapitein, dus… Ja, ik heb het geluk ware liefde te hebben gevoeld.

— Ik voel het ook zo, Liefie.

— Maar helaas is het niet voor eeuwig. Het heeft maar kort zo mogen zijn.

— Het spijt me zo, Liefie.

— Natuurlijk doet het verlies van jou verschrikkelijke pijn, zegt de kapitein, er is een knoop hier in mijn maag die maar niet weg wil gaan, waardoor ik soms geen hap naar binnen krijg. De ellende is: ik zou daar juist door moeten afvallen, maar ik blijf maar zo dik als altijd.

Susie lacht tussen haar tranen door.

— Maar omwille van jou ga ik duizenden malen liever door de hel, gaat de kapitein verder, dan mijn leven verder leeg en liefdeloos te leiden zoals ik zo lang gedaan heb. Het is het bitter en het zoet. Er is nu erg veel bitter, maar dat kan ik allemaal prima verdragen omdat ik weet hoe goed het zoet was.

Han en ik houden Susie recht boven ons nog steeds minutieus in de gaten. Elke beweging van haar naar links of rechts volgen wij exact, wij gaan dan ook die kant uit, nog steeds met het luchtbed in ons midden dat we allebei strak vasthouden.

Susie richt zich intussen op. Ze veegt haar tranen uit het gezicht.

En ineens zie ik wat haar zo speciaal maakt in de ogen – en vooral in het hart – van de kapitein. Daar staat niet langer iemand op het dak die gebroken is, maar een fiere, prachtige, glorieuze vrouw, inderdaad de vrouw die de stuurhut van de Herz oplichtte als een kerstboom wanneer ze daar op een donderdagavond naar binnen zwierde.

— Ik ben moe, Liefie, zegt ze, ik ben moe van het wikken van alle voors en tegens, van het afwegen wat juist is en wat niet, en de pijn die ik daarbij bij jou – of bij mijn echtgenoot – veroorzaak.

Haar echtgenoot is nu niet meer te helpen. Die zit geboeid en wel achter in de politieauto.

— Ik ben moe, zegt Susie, ik ben echt moe.

Dan is ze stil.

— O god, zegt een van de twee brandweermannen, ze gaat alsnog springen.
— *Scheiße*, zegt de andere, het valkussen zakt verdomme opnieuw ineen.
— Geen paniek, zegt Han tegen die twee, wij hebben hier een luchtbed.
— Daar breek je de val niet mee, menen de brandweermannen.
— We zullen het wel zien, zegt Han, het is in ieder geval beter dan niets.

Op het dak van de oude Bünting Tee-fabriek buigt Susie zich steeds verder naar de rand toe.

— Als niets meer werkt, zegt Susie, als ik jullie alle twee ongelukkig maak, dan kan ik alleen nog maar...
— Vergeet mij, liefie! schreeuwt de kapitein haar toe, ga terug naar je man, ga terug naar je dochter! Ik red me wel, het komt allemaal goed. Echt, het is geen probleem! Maar spring in godsnaam niet.
— Hou je vast aan de dakgoot! roept Han, de dakgoot is je vriend!

— Wij zorgen wel voor de kapitein! roep ik, wij zijn immers zijn vrienden. Het komt allemaal goed! We gaan elke dag wel bij hem langs!

Dan bedenk ik me.

— OK, roep ik, niet elke dag, maar minstens eens per week. Of eens per twee weken. OK, eens per maand.
— Spring niet, Susie! roepen nu ook de brandweermannen.

Susie kijkt de kapitein aan en glimlacht. En Captain Liefie glimlacht terug. Maar tot mijn stomme verbazing zie ik hem ineens zoals hij als jongeman was, niet langer die onbehouwen beer van een kerel, niet langer die moloch uit de zee, maar een schuchter joch met grote onbevangen ogen, niet van plan de hele wereld op zijn kop te zetten, alleen maar stilletjes hopend ooit zijn hart te vinden, de vrouw die van hem houden kan zoals hij van haar houden zal.
Ik wrijf in mijn ogen maar ik blijf de kapitein verdomme zo zien.

— Zo wil en kan ik echt niet langer verder, huilt Susie nu zachtjes.

De jongeman – die onmogelijk de kapitein kan zijn en het toch is – aarzelt ineens.

— Zeg dan wat! schreeuwt Han tegen de kapitein.
— Zeg dan iets! schreeuwen de brandweermannen tegen de kapitein.
— Zeg iets! schreeuwt een agent tegen de kapitein.

Maar de jongeman zwijgt, wrijft zijn hand bedachtzaam door het haar en kijkt op naar de vrouw die de kapitein in hem zijn *Herz* noemt.

— Spring, zegt hij zachtjes.

Verbijsterd kijkt iedereen de kapitein aan. Ik ook. Gelukkig zie ik nu weer de kapitein zoals ik hem ken. Maar wat de fuck zegt hij nou?

— Spring maar, liefie, zegt de kapitein tegen Susie, spring gerust in het ongewisse. Mijn hart zegt dat het goed is.

Ook de kapitein veegt nu de tranen uit zijn ogen. Hij kijkt Susie – zoals ze daar op het gebouw staat – liefdevol aan. Haar ogen vallen in de zijne, zoals de zijne in de hare klikken. Even zijn ze weer samen – echt samen – zoals ze in zijn kajuit aan boord van de Herz op de donderdagavond in elkaars armen verstrengeld lagen.

Dan doet de kapitein twee stappen terug, draait zich om en loopt weg, uit de afzetting van blauw-geel lint.

Han en ik kijken elkaar ontzet aan. Maar tegelijk zijn we vastberaden. Net zoals de vrouw boven op het dak. Allebei zetten we ons schrap en trekken het rubberen luchtbed zo strak mogelijk tussen ons in.
Nog eenmaal staren we naar boven en zien we hoe de tandartsassistente – in al haar glorie, precies zoals God haar ongetwijfeld bedoeld heeft – een aanloop neemt.

En springt.

* * *

— Ductape! roept de kapitein, ik heb Ductape nodig! Breng me snel twee rollen! Nee, drie!

Dankjewel: Anton, Ellie, Greetje, Joppe, Michiel, Roos & San.